LA SOLUTION CANADIENNE

Éditeurs:
LES ÉDITIONS LA PRESSE, LTÉE
7, rue Saint-Jacques
Montréal H2Y 1K9

Tous droits réservés:
LES ÉDITIONS LA PRESSE, LTÉE
©Copyright, Ottawa, 1979

Dépôt légal:
BIBLIOTHÈQUE NATIONALE DU QUÉBEC
3e trimestre 1979
ISBN 2-89043-021-9

LA SOLUTION CANADIENNE

RICHARD
BASTIEN

la presse

Collection Temps présent

A Jacques Monet, s.j.

TABLE DES MATIÈRES

L'auteur de *La Solution canadienne*
appartient à la Fonction publique d'Ottawa.
Toutefois, les opinions qu'il expose
dans cet ouvrage n'engagent que lui et
n'expriment pas forcément les positions
des autorités fédérales.

R.B.
23 AVRIL 1979

INTRODUCTION

Ce livre s'adresse à ceux qui aiment réfléchir sans faire appel à une pensée toute faite. Il remet en question quelques mythes qui sont actuellement entretenus par une certaine intelligentsia — professeurs, syndicalistes, journalistes, écrivains — et qui tendent à envelopper la pensée québécoise dans un cadre tranquille et sclérosant. La tendance que manifestent plusieurs de nos esprits bien-pensants à s'enfermer dans des constructions mythologiques n'est pas nouvelle. Pendant deux siècles, bon nombre de Québécois se sont retranchés derrière une idéologie cléricale ultramontaine qui les rassurait sur leur sort. Pendant que le reste de l'Occident s'affairait à construire une civilisation fondée sur la science et la technique, ils se sont réfugiés dans le mythe d'une « mission civilisatrice ». Aux autres l'industrie, à nous « l'honneur de la doctrine et les palmes de l'apostolat » proclamait Mgr Paquet au tournant du siècle. Nous sommes « une race élue » par Dieu reprenait l'abbé Groulx pendant l'entre-deux guerres. C'est ainsi du moins que parlaient les « définisseurs » officiels de la situation canadienne-française.

Lorsqu'il devint évident que la mission civilisatrice était plus mythique que réelle, les Québécois décidèrent de participer pleinement et consciemment à la civilisation industrielle. Ce fut la révolution tranquille. Le passage ne fut pas trop difficile car ils participaient déjà partiellement, et en quelque sorte inconsciemment, au monde industriel que les « Anglais » avaient érigé autour d'eux. Il ne s'agissait donc pas de partir de zéro, mais de mettre à jour un certain nombre d'institutions tels que l'Etat et le système d'enseignement.

Ce changement entraîna une reformulation du nationalisme québécois. La bête féroce contre laquelle on allait dorénavant s'ériger n'était plus l'industrialisation mais l'assimilation. Au lieu de proposer aux Québécois la préservation de leur héritage catholique et le retour à la terre, on leur proposa de supprimer la « domination canadienne-anglaise » afin de mettre fin à leur « aliénation culturelle ». Le choix des mots est révélateur : on avait changé de registre, mais la mélodie restait la même. A l'idéologie cléricale ultramontaine était substituée une vulgate marxisante pimentée de concepts nationalistes. Ainsi la pensée québécoise continue, tout comme avant la révolution tranquille, d'être séduite par les systèmes idéologiques, par ce que Jean-François Revel appelle la « tentation totalitaire ». Seuls les mots ont changé. Les indices à cet égard ne manquent pas. On retrouve aujourd'hui à peu près la même unanimité d'esprit au sein de l'intelligentsia que celle qui a pesé si lourdement sur le Québec au temps de Mgr Paquet et de Maurice Duplessis. On a même cherché à réhabiliter Maurice Duplessis, lui qui, en maintenant un système d'éducation périmé, a retardé d'un quart de siècle l'intégration lucide des Québécois francophones dans le monde de l'économie et des affaires. Par ailleurs, le nationalisme d'aujourd'hui est resté aussi idéaliste que celui d'hier. Tout en s'adonnant à la rhétorique de la « libération », les gouvernants québécois d'aujourd'hui font des pèlerinages périodiques aux Etats-Unis pour solliciter des capitaux ou pour rassurer les investisseurs. Ils se plaisent à rappeler à leurs auditoires américains que les Québécois francophones sont pleinement « nord-américains » et engagés de plain-pied dans le monde moderne, puis, revenus chez eux, dénoncent toutes les manifestations de la vie moderne qui ne sont pas « enracinées » dans le « terroir » québécois. Ils veulent que les Québécois soient à la fine pointe du progrès économique mais leur reprochent « de consommer les produits culturels venus d'ailleurs », refusant de voir que ces deux phénomènes sont intimement liés et que le culte du progrès économique constitue lui-même une révolution culturelle par rapport au passé.

Ce livre exprime donc des idées et des faits qui sont parfaitement contraires à certains mythes qui ont cours actuellement au Québec. Quels sont donc ces idées et ces faits ? On peut les résumer comme suit :

a) le fédéralisme canadien est un des fédéralismes les plus décentralisés au monde ;

b) le « statu quo » dans un système fédéral moderne est impossible ; le bon fonctionnement d'un régime fédéral exige des ajustements constants ; ces ajustements peuvent prendre la forme d'amendements constitutionnels ou d'arrangements administratifs ; au Canada, c'est cette dernière forme d'ajustements qui a été le plus souvent utilisée depuis trente ans ;

c) l'autonomie provinciale est impossible, tout comme l'autonomie fédérale. Le terme « autonomie » désigne la capacité pour un ordre de gouvernement d'agir en toute indépendance par rapport à un autre ordre. En raison de l'interdépendance que crée le monde moderne, les deux ordres de gouvernement au Canada sont obligés de gouverner en se concertant de façon permanente ;

d) il est possible d'avoir un fédéralisme décentralisé sans avoir un fédéralisme autonomiste (le Canada en est un bon exemple) ;

e) le fédéralisme est une solution qui convient mieux au Québec pour des raisons qui sont non seulement d'ordre économique, mais également d'ordre politique et d'ordre culturel ;

f) l'unité nationale dépend davantage de l'état d'esprit des Canadiens que de la réforme constitutionnelle ;

g) nationalisme et patriotisme sont deux réalités différentes ; le patriotisme est compatible avec une conception pluraliste de la société tandis que le nationalisme ne l'est pas ;

h) il n'y a pas de différence fondamentale entre le vieux nationalisme clérical et agraire et le nouveau nationalisme péquiste, parce que les deux procèdent d'une même conception de l'homme et de son histoire, qui est à la fois élitiste, autoritaire et unidimensionnelle ;

i) si les francophones n'occupent pas la place qui leur revient dans le monde des affaires, ce n'est pas essentiellement à cause des « Anglais », mais à cause des valeurs anti-modernistes qui imprégnaient l'enseignement prodigué par la plupart des institutions d'enseignement avant 1965 ;

j) l'enjeu du référendum, ce n'est pas seulement un certain arrangement politique pouvant convenir au Québec, c'est aussi une certaine conception de la liberté, c'est-à-dire une certaine conception des rapports entre l'homme et la société. La conception que les nationalistes ont de la liberté est difficilement compatible avec la notion de démocratie parlementaire.

Un mot au sujet de la lecture de ce livre. Certains chapitres sur le fédéralisme canadien traitent de questions techniques qui en rendent la lecture quelque peu aride pour ceux qui ne sont pas familiarisés avec le langage des finances publiques. Ces chapitres sont importants mais non essentiels. J'ai cru nécessaire de parler de ces questions techniques, parce que le fédéralisme canadien est ainsi fait que les arrangements techniques y occupent une place importante, pour ne pas dire fondamentale. Depuis trente ans, il a évolué surtout au gré d'arrangements fiscaux plutôt qu'en fonction d'amendements constitutionnels. Ces arrangements assouplissent la *pratique* de notre fédéralisme, mais n'en rehaussent pas l'*esthétique*. Le fonctionnement du système fédéral canadien est souple mais techniquement complexe. Les chapitres de la première partie seront utiles à ceux qui s'intéressent à ce fonctionnement. Les autres lecteurs pourront passer outre sans que leur compréhension des autres chapitres n'en soit compromise.

CHAPITRE I

L'interprétation péquiste de l'expérience canadienne

> *« La connaissance vraie du*
> *passé nous rappelle au devoir*
> *de tolérance, la fausse*
> *philosophie de l'histoire*
> *répand le fanatisme. »*
> RAYMOND ARON

Il existe aujourd'hui au Québec un courant d'opinion nationaliste voulant que le peuple québécois soit « colonisé », « dépossédé », « aliéné », maintenu dans un état de dépendance qui l'empêche de se développer d'une façon « normale ». Ce courant d'opinion trouve son expression la plus claire dans le Parti québécois. Celui-ci ne se contente pas de dénoncer certaines anomalies concernant le respect du fait français dans le régime fédéral canadien. Ce qui fait sa force, c'est qu'il offre une vision globale et cohérente, une sorte d'explication totale de l'histoire canadienne, où les anomalies que les fédéralistes cherchent à corriger apparaissent comme autant de symptômes d'un mal beaucoup plus profond.

La vision proposée par le Parti québécois suggère que l'histoire canadienne des deux derniers siècles se réduit à une lutte entre anglophones et francophones. Cette lutte n'est pas due à de simples mesquineries ou à de la mauvaise foi. Elle résulte plutôt d'un certain déterminisme historique. Elle revêt donc un caractère inéluctable. Elle est inscrite dans l'histoire même du fédéralisme canadien, parce qu'elle « tient principalement aux besoins et aspirations différents des deux nations... qui sont et seront toujours largement contradictoires ».[1] L'issue de la lutte est déterminée par le poids démographique des deux groupes en présence. Le groupe le moins

---

1. On trouvera l'exposé le plus récent de la vision péquiste de l'histoire dans un ouvrage publié en 1978 par deux députés péquistes, Jean-Pierre Charbonneau et Gilbert Paquette, et intitulé *L'Option.* L'ouvrage est préfacé par René Levesque. Les propos cités sont à la page 379. Voir aussi le manifeste du Parti québécois intitulé *D'égal à égal* publié au printemps de 1979.

nombreux constitue une minorité contrôlée et dépossédée par le groupe majoritaire. Il est donc fatalement voué à l'assimilation. Le seul moyen d'échapper à cette assimilation, c'est de récuser le statut de minorité en proclamant l'indépendance du Québec. Il s'agit là d'une chose « normale » pour tout peuple ayant une langue et une culture propres.

La conception péquiste de l'histoire peut se comprendre par analogie avec la conception marxiste. En effet, elle offre comme cette dernière une vue manichéenne du monde où les « bons » et les « méchants » sont clairement distingués. De même que pour les marxistes orthodoxes, l'histoire de l'humanité n'a été rien d'autre qu'une lutte entre la bourgeoisie et le prolétariat, de même, pour les péquistes de stricte obédience, l'histoire du Québec n'a été depuis la Conquête rien d'autre qu'une lutte entre les groupes anglais et français. Pour l'une et l'autre de ces conceptions, l'histoire se perçoit donc selon une seule dimension (économique pour les marxistes, culturelle pour les péquistes) ; elle s'explique totalement par une opposition entre les intérêts de deux groupes, opposition qui entraîne nécessairement l'assujettissement et l'appauvrissement (culturels ou économiques, selon le cas) du groupe le plus nombreux par le groupe le moins nombreux ; et elle se termine par une prophétie de libération : à l'inévitabilité de la révolution prolétarienne, les péquistes substituent l'inévitabilité de l'indépendance nationale. Les deux conceptions perçoivent donc l'histoire comme un mouvement « irréversible » dont on connaît à l'avance l'aboutissement. Celui-ci est essentiellement « libération » d'une domination séculaire. C'est en fonction de cette libération que l'on peut concevoir une action politique « progressiste », c'est-à-dire une action permettant de faire « progresser » l'histoire vers son aboutissement naturel ou « normal ». S'opposer au mouvement de l'histoire, c'est retarder l'heure de la « libération ». Selon les péquistes, les fédéralistes québécois s'opposent à la libération de leur propre nation. Ils sont donc perçus comme de naïfs collaborateurs du groupe anglophone — à moins qu'ils ne soient des « vendus » — tout comme les réformistes sociaux sont perçus comme des collaborateurs du pouvoir capitaliste dans la vision marxiste du monde.[2] Enfin, la conception péquiste de l'histoire ignore toutes les explications non culturelles de l'histoire du Québec, comme la vision marxiste ignore toutes les explications non économiques de l'histoire universelle.

Deux conceptions donc qui partagent un même déterminisme : les intérêts des groupes en présence sont nécessairement opposés ; un même exclusivisme : on peut expliquer toute l'histoire en la réduisant à une seule dimension qui est culturelle ou économique ; un même prophétisme : le conflit des groupes en présence se terminera inévitablement par une libération du groupe dominé ; une même intolérance : quiconque s'oppose au mouvement vers cette libération exerce sur l'histoire une influence « régressive » plutôt que « progressive ».

Quel démenti peut-on opposer à la vision péquiste ? Comme il s'agit d'une vision qui offre non seulement une explication historique du problème québécois, mais aussi une solution politique à ce problème, il importe de l'examiner sous ce double point de vue.

Comme explication historique, la vision péquiste soulève de sérieuses difficultés. Si en effet l'histoire du dernier siècle ou plus se réduit à un combat entre deux groupes de puissance démographique très inégale, la logique oblige à conclure que le groupe le plus faible numériquement — le groupe canadien-français en l'occurrence — devrait aujourd'hui être en très piètre état. En réalité, son état devrait empirer à mesure que se prolonge la soi-disant domination anglophone. Or, il suffit d'évoquer quelques aspects essentiels de la réalité et de l'histoire du Québec pour se rendre compte que le fait français, loin de s'affaiblir, tend au contraire à s'affirmer de façon de plus en plus vigoureuse.

Au lendemain de la Conquête de 1760, on comptait en Nouvelle-France à peu près 70 000 habitants. Leurs descendants forment aujourd'hui un peuple de quelque 6 millions d'habitants, concentrés au Québec et dans les territoires qui y sont adjacents. La

2. Dans un discours qu'il faisait le 12 mai 1977 à l'occasion du Congrès annuel du Barreau du Québec, l'actuel ministre des Affaires intergouvernementales, M. Claude Morin, affirmait ce qui suit : « Aujourd'hui comme hier, il y a des hommes politiques ainsi que des fonctionnaires du Québec qui se trouvent à Ottawa et qui, avec talent et aussi, je le suppose, avec sincérité, ont en fait comme mission de bloquer l'émergence d'un pouvoir politique autonome chez nous. Inconsciemment peut-être, ils exercent une tâche presque invraisemblable qui *équivaut à nier en pratique l'existence d'un peuple québécois,* car, en affaiblissant ses institutions politiques propres au profit du pouvoir central, ils empêchent ce même peuple de disposer d'un instrument essentiel pour acquérir la maîtrise de ses affaires. » Et comme pour ajouter une injure à un affront, M. Morin concluait par ces mots : « On pourrait croire que ce jugement est dur. Mais ce n'est pas un jugement, c'est une *constatation* que je regrette d'avoir à faire... »

Conquête n'a pas modifié la liberté qu'avait ce peuple de pratiquer sa religion. Les Canadiens français vivant au Québec ont toujours conservé leurs écoles françaises et, dès 1847-48, avaient un contrôle complet de leur système d'éducation, lequel comporte aujourd'hui sept universités. Ils ont toujours conservé leur propre régime de droit civil. Ils ont, depuis 1867, un pouvoir exclusif sur leur gouvernement provincial, lequel prélève aujourd'hui une masse d'impôts plus considérable que celle prélevée au Québec par le gouvernement fédéral.

Le peuple québécois a également une influence considérable sur le Parlement du Canada, d'abord en raison du nombre important de sièges qu'il y détient, mais aussi parce que, ayant l'habitude de concentrer son vote sur un seul des deux grands partis politiques canadiens, il a souvent réussi à jouer un rôle décisif dans la répartition des sièges entre partis et, par conséquent, dans la formation des gouvernements. Depuis le tournant du siècle, le poste de premier ministre du Canada a été occupé pendant 31 ans, soit une moyenne de 4 années sur 10, par un Québécois francophone. Depuis la fin de la Seconde Guerre il y a 34 ans, le même poste a été occupé pendant 20 ans par un Québécois francophone. Le nombre de Québécois à l'emploi de l'administration fédérale et travaillant en territoire québécois est de 44 000. Des milliers d'autres travaillent à Ottawa, mais résident au Québec. Au total, la proportion des francophones dans l'administration fédérale est de 26.2%, ce qui correspond à peu près à la proportion des francophones dans la population canadienne. La région de la capitale nationale du Canada recouvre deux villes dont l'une, Hull, est en territoire québécois.

Au point de vue des libertés civiles, le peuple québécois est un des peuples les plus privilégiés de la terre.[3] La tradition démocratique s'est développée chez lui sans révolution ou guerre civile.

Depuis 1875, année où fut aboli le service de milice institué

---

3. Une étude, publiée en janvier 1978 par le Freedom House de New York et portant sur 158 pays, plaçait le Canada parmi les 17 pays ayant la meilleure cote pour ce qui est du respect des libertés civiles et des droits politiques. Les 16 autres pays inclus dans ce classement sont: l'Australie, l'Autriche, la Barbade, la Belgique, le Costa Rica, le Danemark, l'Islande, l'Irlande, le Luxembourg, les Pays-Bas, la Nouvelle-Zélande, la Norvège, la Suède, la Suisse, le Royaume-Uni et les Etats-Unis. On ne peut manquer d'observer qu'aucun des grands pays à tradition catholique et latine (Espagne, France, Italie et Brésil) n'est inclus dans ce classement.

sous le régime français, la liberté des Québécois n'a jamais été hypothéquée par le service militaire obligatoire (sauf pendant les deux guerres mondiales), lequel est pourtant de règle dans la plupart des pays du monde industrialisé.

Le niveau de vie des Québécois est un des plus élevés au monde. Il est moins élevé que le niveau moyen du Canada, mais plus élevé que celui des provinces à l'est du Québec et celui des États américains sur sa frontière sud. Le territoire du Québec est immense et recèle d'importantes ressources naturelles sur lesquelles le gouvernement québécois a le plus entier contrôle. Grâce à leurs ingénieurs et leur managers, les Québécois sont en train de construire le plus gros barrage hydro-électrique au monde. Leur expertise dans ce domaine est reconnue à l'échelle internationale.

Les Québécois ont une littérature, un théâtre, une peinture et un art de la chanson bien à eux. Dans tous ces domaines, ils ont produit des écrivains et des artistes dont le rayonnement est international. Ils participent également à tous les courants culturels et artistiques qui animent le monde occidental, lisant les mêmes revues et les mêmes livres, écoutant les mêmes disques et adoptant les mêmes modes que les Français, les Allemands, les Britanniques ou les Américains.

La valeur explicative de la conception péquiste de l'histoire est donc contestable à plusieurs titres. Le moins qu'on puisse dire, c'est qu'elle ignore complètement de larges pans de notre histoire. Mais il faut également examiner la vision péquiste en tant qu'elle prétend offrir une solution politique au « problème » québécois. Selon le PQ, ce problème ne se limite pas à quelques difficultés touchant l'usage du français et la présence des francophones dans les institutions fédérales. Il met en cause non pas seulement les modalités d'application du fédéralisme canadien, mais la possibilité même d'un fédéralisme canadien juste et équitable. Si, en effet, l'essentiel de notre histoire se ramène à une lutte entre deux cultures, lutte dont l'issue dépend uniquement de leur poids démographique relatif, c'est le principe même du fédéralisme, en tant qu'il permet à des communautés de cultures différentes de se regrouper harmonieusement, qui est contesté. Pour un péquiste orthodoxe, « la dualité canadienne et le déséquilibre entre les deux nations rend *toute* solution fédérale inadéquate pour l'une comme pour l'autre ».[4] Ainsi,

---

4. Charbonneau et Paquette, *op. cit.*, p. 388 (les italiques sont de moi).

toutes les concessions que les fédéralistes pourraient faire pour apaiser les péquistes sont à priori vouées à l'échec. Elles risquent même de susciter chez eux du ressentiment puisqu'ils y verront autant de machinations politiques destinées à retarder la réalisation de l'indépendance « inévitable ». Les efforts déployés en vue de renouveler le fonctionnement du régime fédéral canadien sont perçus en effet comme « des anesthésies successives pour fixer le Québec dans une paralysie politique dont il faut sortir au contraire à tout prix ».[5]

Deux questions fondamentales surgissent invariablement de toute réflexion sur la solution politique préconisée par les péquistes. La première a trait aux conséquences diverses, notamment dans l'ordre économique, d'une rupture du lien fédéral qui unit depuis plus de 110 ans le Québec à l'ensemble canadien. Lorsqu'ils sont confrontés à cette question, les péquistes répondent généralement qu'elle est une forme de « terrorisme » économique, qu'elle est soulevée par des gens qui veulent maintenir le « statu quo » en apeurant les Québécois. Selon eux, comme l'économie québécoise dans un Québec indépendant serait gérée entièrement par des Québécois, il va de soi qu'elle ne s'en porterait que mieux. Toute question qui pourrait laisser subsister un doute à ce sujet est donc à priori suspecte. En accusant les fédéralistes de terrorisme verbal, les péquistes évitent de répondre à une question pourtant fort légitime. En effet, des changements politiques beaucoup moins radicaux qu'une rupture du lien fédéral — par exemple l'érection de barrières à la libre circulation de la main-d'oeuvre entre les provinces — peuvent avoir des conséquences économiques sérieuses pour le Québec. On peut donc conclure à plus forte raison que les conséquences d'une séparation politique pourraient être sérieuses.

La deuxième question que soulève la solution proposée par les péquistes est plus importante que la première parce qu'elle appelle un jugement sur l'expérience canadienne du point de vue de la justice et de l'équité. Réduite à sa plus simple expression, elle consiste à demander : pourquoi rester fidèle à la fédération canadienne ? Il faut bien reconnaître que, d'une manière générale, la réponse donnée par les fédéralistes à cette question n'a pas toujours été très engageante. Trop souvent, ils se contentent en effet de justifier leur

---

5. Parti québécois, *D'égal à égal* (manifeste concernant la souveraineté-association), p. 7.

attachement au fédéralisme canadien par des considérations reliées exclusivement aux conséquences économiques de l'indépendance, ce qui, en plus de faire injure à la fierté des Québécois, contribue à dévaloriser la notion même de fédéralisme. Car en faisant de l'insécurité économique qu'engendrerait une sécession leur principal cheval de bataille, les fédéralistes laissent parfaitement intacte l'interprétation péquiste voulant que le fédéralisme canadien soit l'instrument politique de la domination du groupe anglophone sur le groupe francophone. En évitant de s'attaquer directement à cette conception et d'en proposer une autre plus conforme à la réalité historique du Canada, ils reconnaissent *implicitement* que les conceptions péquistes au sujet de la dépendance et de l'infériorité des Québécois comportent une bonne dose de vérité. Ils cautionnent ainsi la thèse péquiste voulant que les Québécois ne puissent demeurer citoyens canadiens sans sacrifier une part de leur personnalité ou de leur culture, bref qu'ils ne peuvent être loyaux à la fédération canadienne sans du même coup faire une entorse à leur loyauté envers le Québec. En acceptant implicitement la manière dont les péquistes posent le problème du Québec, ces fédéralistes sont acculés à une position fort inconfortable, et, à la limite, insoutenable. Les arguments fondés uniquement sur l'intérêt économique ne peuvent pas supprimer l'intérêt que la plupart des hommes portent aux questions de justice et d'équité.

La notion de fédéralisme est beaucoup plus riche que ne le laissent supposer les arguments fondés uniquement sur la crainte des conséquences économiques de l'indépendance. Et rien n'est plus faux que l'opposition que se plaisent à établir les péquistes entre l'attachement au Québec et la loyauté envers l'expérience fédérale canadienne. Loin d'être une structure immuable, le fédéralisme est un moyen d'action que des communautés différentes utilisent pour mettre leurs efforts en commun tout en respectant leurs différences. Cette mise en commun de leurs efforts n'enlève rien à ces communautés, mais leur donne au contraire une capacité d'agir qu'elles n'auraient pas si elles étaient séparées. Sans cette capacité d'agir, les plus petites communautés risquent de devenir des « marginaux » de la civilisation post-industrielle. C'est pourquoi le fédéralisme est exactement le contraire du « colonialisme » : il donne aux petites communautés le moyen de résister à la « satellisation » des grandes puissances industrielles, laquelle serait d'ailleurs beaucoup plus dangereuse pour la culture québécoise que la soi-disant « minorisation » imposée par le fédéralisme. Bref, le fédéralisme est la seule voie qui, dans la civilisation post-industrielle, offre au Québec une certaine capacité d'action autonome. Car dans cette civilisation, l'indépendance c'est l'impuissance. C'est pourquoi en préservant le lien fédéral qui l'unit au Canada, le peuple québécois non seulement ne sacrifie rien de sa personnalité, mais il se donne un moyen de l'enrichir. La loyauté envers le Québec et celle envers le Canada, loin de s'opposer, se complètent et se renforcent mutuellement.

Le défi que les fédéralistes ont dû relever au cours des dernières années a consisté à corriger certaines erreurs mises en évidence par la pensée nationaliste au Québec. Mais depuis l'arrivée au pouvoir du Parti québécois, les fédéralistes doivent faire face à un plus grand défi, qui consiste à proposer tout d'abord une interprétation de l'histoire qui soit plus conforme à la réalité que celle des péquistes, et ensuite une conception du fédéralisme qui soit plus engageante pour l'avenir que celle fondée sur des considérations exclusivement économiques.

Les pages qui suivent sont un effort modeste en ce sens. Elles se divisent en deux parties. La pemière tente d'analyser l'évolution du fédéralisme canadien depuis la Seconde Guerre mondiale, à la lumière des aspirations du Québec telles qu'elles furent exprimées par ses divers gouvernements. Elle vise à déterminer jusqu'à quel point il a été possible de décentraliser et d'assouplir notre régime fédéral pour le rendre plus conforme aux désirs du Québec. La seconde partie tente d'analyser la nature du fédéralisme indépendamment de toute application qu'on ait pu en faire au Canada. Il s'agit au fond de retrouver les éléments essentiels d'une philosophie du fédéralisme. Alors que la première partie met en lumière certains faits qui contredisent l'interprétation péquiste de l'histoire canadienne, la seconde explique pourquoi ces faits sont possibles et conformes à l'esprit véritable du fédéralisme.

La crise suscitée par le Parti québécois oblige les fédéralistes à s'interroger sur les fondements mêmes de la réalité géographique, économique, sociale, culturelle et politique qui constitue le Canada. Une telle remise en question est difficile. Mais elle peut être l'occasion d'un immense progrès. En effet, en même temps qu'elle met à nu leurs faiblesses et leurs erreurs, elle peut révéler aux fédéralistes canadiens leurs forces et leurs richesses et devenir ainsi une occasion de dépassement. C'est dans les périodes de crise que les institutions créées par l'histoire font la preuve de leur valeur ou de leur inutilité. La crise suscitée par le Parti québécois place la fédération canadienne devant une alternative sérieuse : elle doit ou créer un nouveau consensus ou subir l'amputation d'une de ses parties les plus importantes. Le Canada sortira donc de cette crise considérablement grandi ou considérablement affaibli. Ce sont les réponses que les fédéralistes apporteront aux questions soulevées par le Parti québécois qui détermineront en dernière analyse laquelle de ces deux voies sera adoptée.

L'évolution du fédéralisme canadien depuis la guerre

> « *C'est ... une des caractéristiques du fédéralisme d'obliger les pays qui l'adoptent à repenser constamment leurs problèmes constitutionnels et à redéfinir les relations intergouvernementales à la lumière de leur expérience et de leur évolution.* »
>
> MAURICE LAMONTAGNE

L'objet de cette première partie est de répondre à une question en apparence fort simple : le régime fédéral canadien est-il centralisé ou décentralisé ? Cette question est au coeur du débat actuel sur l'unité canadienne. En effet, en plus de soutenir que tout régime fédéral, même décentralisé, est inacceptable pour le Québec, la plupart des péquistes soutiennent que le fédéralisme canadien tend inévitablement à concentrer les pouvoirs au sein du gouvernement fédéral. On peut déterminer quelle part de vérité revêt cette hypothèse en vérifiant si le régime fédéral canadien a évolué, depuis la Seconde Guerre mondiale, dans le sens de la centralisation ou de la décentralisation, et s'il est plus ou moins centralisé que d'autres régimes fédéraux.

Depuis la guerre, le fédéralisme canadien a évolué selon deux grandes périodes. La première, couvrant les années 1939 à 1957, se caractérise par un degré relativement élevé de centralisation. La tendance centralisatrice de cette période provoqua des réactions de défense de la part des provinces, et notamment du Québec, parce qu'elle réduisait l'autonomie dont elles avaient fait l'expérience dans les années d'avant-guerre. Ces réactions entraînèrent toute une série de rajustements dans le fonctionnement du régime canadien, rajustements qui donnèrent lieu à un important mouvement de décentralisation amorcé en 1957 et poursuivi jusqu'à nos jours. Les chapitres qui suivent essaient de rendre compte de cette évolution. Le chapitre II identifie les facteurs qui ont poussé le Canada vers la centralisation à partir de 1939 et décrit les mécanismes qui ont rendu cette centralisation possible. Le chapitre III analyse la conception de l'autonomie provinciale telle qu'elle fut exposée en 1956 par une commission d'enquête instituée sous le régime Duplessis. Le chapitre IV analyse les différents arrangements mis au point depuis 1957 pour assouplir et décentraliser le fonctionnement du fédéralisme canadien et compare sa structure fiscale à celle d'autres fédérations modernes. Enfin, le chapitre V tente de dégager quelques conclusions générales concernant le fonctionnement actuel du fédéralisme canadien.

CHAPITRE II

Une ère de centralisation : 1939-1957

Une des principales conséquences de la crise écomonique des années 30 fut de jeter les provinces dans le marasme financier le plus total. La plupart d'entre elles se retrouvèrent en effet presque au bord de la faillite et, n'eussent été de subventions fédérales de « sauvetage », certaines d'entre elles n'auraient sans doute pu revenir à une situation financière normale. La crise obligea donc le gouvernement canadien à repenser toute la structure fiscale du système fédéral. Pour l'aider dans cette tâche, il créa la *Commission royale d'enquête sur les relations entre le Dominion et les provinces*, mieux connue sous le nom de Commission Rowell-Sirois.

Le rapport Rowell-Sirois

Instituée en août 1937, la Commission Rowell-Sirois remit son rapport en 1940. Après avoir analysé l'état des relations entre les deux ordres de gouvernement, les commissaires conclurent qu'un profond déséquilibre existait entre les revenus et responsabilités de chaque ordre. Ils insistèrent sur le fait que certaines responsabilités d'envergure nationale étaient financées par des sources de revenu à caractère local ou régional. Par ailleurs, certaines sources de revenu à caractère national étaient exploitées presque exclusivement par des gouvernements provinciaux. Pour corriger ce déséquilibre, la Commission recommanda que l'on procède à une nouvelle répartition des responsabilités et des pouvoirs d'imposition entre le gouvernement fédéral et les provinces et que des dispositions spéciales soient prises pour que les provinces les plus pauvres puissent offrir à leurs ressortissants des services publics comparables à ceux des provinces riches. Plus précisément, la Commission proposa :

a) que les responsabilités relatives à l'assistance aux chômeurs et aux pensions de vieillesse, lesquelles drainaient alors une part considérable des finances provinciales, soient prises en charge par le gouvernement fédéral ;

b) que les provinces n'utilisent pas leur droit de prélever des impôts sur les revenus des individus et des corporations afin que ces champs d'imposition à « caractère national » puissent être mieux exploités par le gouvernement fédéral ;

c) que le système de subventions fédérales aux provinces qui avait été élaboré dans « l'illogisme et le chaos » soit remplacé par des paiements de péréquation (le rapport parle de « subventions d'après la norme nationale ») destinés aux provinces plus démunies ; ces subventions devaient permettre aux provinces qui les recevraient d'offrir des services publics de qualité « moyenne » sans imposer à leurs contribuables un fardeau fiscal excessif.

Les recommandations relatives au partage des responsabilités et des impôts avaient évidemment un caractère centralisateur. Pourtant, les recommandations concernant le transfert au gouvernement fédéral des responsabilités pour les mesures d'aide aux chômeurs et les pensions de vieillesse ne soulevèrent aucune protestation de la part des provinces. C'est ainsi que par suite d'un accord intervenu entre le gouvernement fédéral et les neuf provinces de l'époque, la constitution fut modifiée en 1940 afin de donner au gouvernement fédéral le droit d'instituer un régime d'assurance-chômage. De même, toutes les provinces, y compris le Québec, consentirent en 1951 à ce que l'AANB soit modifié pour permettre au gouvernement fédéral de mettre en place un régime universel de pensions de vieillesse. Les provinces critiquèrent cependant avec sévérité les recommandations voulant qu'elles se retirent du champ des impôts sur le revenu. Cette question devait d'ailleurs constituer dans les années d'après-guerre un des principaux litiges entre les deux ordres de gouvernement.

La recommandation concernant les paiements de péréquation visait à assurer une redistribution de la richesse nationale depuis les provinces riches vers les provinces pauvres.[1] Ces paiements de-

---

1. Le mot *péréquation* utilisé dans le contexte d'un système fédéral signifie *égalisation* (l'expression utilisée en anglais pour désigner les paiements de péréquation est « equalization payments ») : il s'agit en effet de répartir la richesse, donc de réduire les inégalités.

vaient permettre aux provinces ayant des rendements fiscaux inférieurs à la moyenne nationale de se doter de services publics de qualité moyenne sans avoir à prélever des impôts supérieurs à ceux des provinces riches. On peut donc y voir l'origine de notre système actuel de péréquation des revenus provinciaux. La Commission insista pour que les provinces puissent utiliser ces paiements selon leur gré afin que soit respecté le principe de l'autonomie provinciale.[2]

La Seconde Guerre mondiale et les concepts keynésiens

La centralisation qui s'opéra pendant et après la Seconde Guerre mondiale ne saurait s'expliquer uniquement par les recommandations de la Commission Rowell-Sirois. Celles-ci eurent une influence profonde et durable sur la pensée du gouvernement fédéral. Mais c'est aussi à cause de: (a) la participation du Canada à la Deuxième Guerre mondiale; (b) l'influence de la pensée keynésienne sur les hauts fonctionnaires et les leaders politiques fédéraux; et (c) la crainte d'une récession dans l'après-guerre que s'amorça un mouvement de centralisation.

A mesure que s'intensifiait l'effort de guerre, le gouvernement fédéral assuma des responsabilités de plus en plus grandes dans presque tous les domaines et fut contraint de prélever des sommes considérables auprès de tous les groupes sociaux. L'appareil administratif acquit des proportions sans précédent. Le sentiment que cet appareil pourrait, à la fin des hostilités, être mis au service d'objectifs nouveaux se répandit progressivement dans les cercles du pouvoir fédéral. On trouvait alors à Ottawa un certain nombre d'hommes politiques et de fonctionnaires qui avaient été profondément influencés par les théories économiques de John Maynard Keynes. Ils étaient convaincus qu'une récession économique grave ferait son apparition au lendemain de la guerre si des mesures énergiques n'étaient pas prises pour soutenir la demande globale. Ils se proposaient d'utiliser le budget fédéral à cette fin.

L'influence de ce nouveau courant keynésien ne tarda pas à se faire sentir.[3] Il n'était plus question d'adopter une attitude de laisser-faire à l'égard de la conjoncture économique. Le gouvernement

2. Voir notamment les pages 130 et 131 du volume II du rapport de la Commission.

fédéral s'engageait à promouvoir la stabilité des prix et le plein emploi. Le principe d'une politique budgétaire anti-cyclique, en vertu de laquelle des déficits ou des surplus budgétaires seraient utilisés pour stimuler ou pour ralentir, selon le cas, le fonctionnement de l'économie, était en tout cas tout à fait contraire à l'orthodoxie financière d'avant-guerre.

Cette nouvelle conception du rôle de l'Etat dans la vie économique était particulièrement lourde de conséquences pour le fédéralisme canadien, parce qu'elle appelait tout un ensemble de mesures sociales qui, en plus de favoriser le bien-être des individus, constituaient autant d'instruments d'une politique nationale de stabilisation. La sécurité sociale n'était plus envisagée uniquement comme une politique d'assistance aux personnes dans le besoin; elle se concevait dorénavant comme un des moyens à la disposition du gouvernement central pour soutenir le plein emploi.

Comme les mesures d'aide sociale avaient de tout temps relevé de la compétence des provinces, cette nouvelle philosophie remettait profondément en cause le partage traditionnel des pouvoirs entre les deux ordres de gouvernement. Il ne s'agissait plus en effet de faire certains rajustements au partage des pouvoirs inscrits dans la constitution, comme l'avait proposé la Commission Rowell-Sirois, mais de repenser les fondements mêmes de ce partage à la lumière d'une nouvelle conception du rôle de l'Etat dans la vie économique. En ce sens, on peut dire que les membres de la Commission Rowell-Sirois étaient réformistes, alors que les esprits keynésiens d'Ottawa étaient révolutionnaires. Les premiers conservaient comme cadre de référence l'accord de 1867, les seconds en proposaient un autre entièrement nouveau. Leur conception de la sécurité sociale rendait impossible toute distinction pratique entre les politiques économiques et les politiques sociales. On pouvait certes soutenir que, théoriquement, la stabilisation économique était une responsabilité fédérale et que l'administration des politiques sociales demeurait une responsabilité provinciale. Mais comment séparer les deux en pratique? Ainsi, par exemple, les politiques de formation de la main-d'oeuvre ont tout autant pour objet de prodi-

---

3. Parlant de l'influence de Keynes dans différents pays, le professeur Brady a noté que «Keynes n'a probablement jamais exercé une influence aussi grande dans tout autre capitale du monde anglophone qu'il l'a fait à Ottawa». (Voir son: *Democracy in the Dominions,* p. 55).

guer une formation aux travailleurs que de réaliser le plein emploi. Devaient-elles être considérées comme une responsabilité provinciale ou fédérale? La même question se posait au sujet des mesures de soutien du revenu, telles que les prestations de bien-être social. Il s'agit de mesures ayant une fonction aussi bien sociale (aider les gens les plus démunis) qu'économique (maintenir un niveau élevé de la demande globale afin de stimuler la production). Devaient-elles être administrées par le gouvernement central ou par les provinces? Telles sont quelques-unes des questions que soulevait la nouvelle philosophie keynésienne et qui allaient dominer le débat politique canadien durant tout l'après-guerre. Elles constituent, comme on le verra plus loin, une source importante des tensions fédérales-provinciales qui ont provoqué une remise en question du lien fédéral unissant le Québec à l'ensemble canadien.

Les arrangements fiscaux entre gouvernements : 1941-1957

Au moment de l'entrée en guerre du Canada, les provinces reconnurent la nécessité d'un gouvernement central fort, au moins pour la durée du conflit. En 1941, elles s'engagèrent toutes à ne pas prélever d'impôts sur le revenu personnel et le revenu des corporations, c'est-à-dire à laisser la totalité de ces domaines d'imposition au gouvernement central, et ce, jusqu'à un an après la fin des hostilités. En retour, le gouvernement fédéral devait leur verser une « indemnité » ou un « loyer » destiné à les compenser partiellement pour les revenus auxquels elles renonçaient en se retirant de ces domaines d'imposition particulièrement lucratifs. C'est ainsi que fut inaugurée ce que l'on appelle l'ère des paiements de « location » d'impôts, le mot « location » désignant le fait que les provinces se trouvaient à « louer » en quelque sorte au gouvernement fédéral la place qu'elles occupaient dans les domaines d'imposition concernés.

Afin de mettre en oeuvre ses objectifs de plein emploi et de stabilité des prix, le gouvernement fédéral convoqua en 1945 la conférence fédérale-provinciale de la reconstruction, au cours de laquelle il proposa aux provinces tout un ensemble de mesures destinées à soutenir l'activité économique de l'après-guerre. Ces mesures visaient à créer un régime universel de pensions de vieillesse, un régime d'assurance pour les soins médicaux, un régime d'assurance-chômage et un régime d'aide financière aux provinces et aux municipalités disposées à s'engager dans des investissements publics ayant un effet stabilisateur sur l'économie. On proposa également un certain nombre de programmes à frais partagés relatifs à la santé mentale, à la formation professionnelle et à la recherche. Pour ce qui est des arrangements fiscaux, le gouvernement fédéral proposa qu'on continue de lui laisser l'exclusivité des impôts sur le revenu des individus et des corporations ainsi que l'exclusivité des droits de succession, en retour de quoi il s'engageait à verser aux provinces des paiements de location calculés essentiellement en fonction de la population de chaque province.

Ces propositions bouleversaient toute la conception du fédéralisme qui avait sous-tendu jusque-là les rapports entre les deux ordres de gouvernement. L'augmentation en nombre et en valeur des programmes à frais partagés que proposait le gouvernement fédéral signifiait en effet que le principe selon lequel chaque ordre de gouvernement avait des responsabilités exclusives et pouvait agir en toute indépendance par rapport à l'autre n'était plus valable. Ces programmes impliquaient de plus que les politiques économiques et les politiques sociales étaient étroitement reliées. Les propositions fédérales exigeaient par ailleurs que l'on considère les différentes sources de revenu non plus dans une perspective purement constitutionnelle, mais en fonction de leur valeur comme instrument de gestion macro-économique. Que les provinces aient affiché beaucoup d'hésitation et de scepticisme à l'égard de ces propositions, on ne saurait donc s'en étonner. La conférence de la reconstruction se termina sans qu'aucun accord ne fût conclu.

Les consultations entre le gouvernement fédéral et les provinces se poursuivirent néanmoins pendant deux ans et aboutirent à des ententes fondées sur la notion de paiements de location. C'est ainsi qu'en 1947 toutes les provinces, sauf le Québec et l'Ontario, consentirent à louer de nouveau pour cinq ans leur droit de prélever des impôts sur le revenu des individus et des sociétés (sauf un impôt de 5% sur les profits des corporations, lequel devait être perçu par le gouvernement fédéral au nom des provinces) ainsi que des droits de succession.[4]

---

4. Les paiements de location que le gouvernement fédéral s'engagea à verser à ces provinces devaient être calculés en fonction (a) d'un certain montant par habitant et (b) des subventions statutaires payables en 1947. Ils devaient aussi augmenter chaque année en fonction du taux de croissance du Produit National Brut et de la croissance de la population.

L'Ontario et le Québec, qui étaient de loin les deux provinces les plus importantes en regard de la population et du développement industriel, refusèrent de signer des ententes de location. Elles prélevèrent chacune un impôt de 7% sur les revenus des corporations et diverses taxes sur le capital et les lieux d'affaires. Les deux provinces maintinrent également leurs droits de succession.

A partir de 1947, les besoins financiers des provinces s'accrurent, entre autres à cause des programmes à frais partagés que le gouvernement fédéral mettait en oeuvre. Ainsi, dès 1948 un programme de subventions pour la « santé nationale » était créé. Il fut bientôt suivi de plusieurs autres arrangements à frais partagés dont le plus important fut le programme de construction de la route trans canadienne. Ce programme, destiné à améliorer le réseau de transport routier d'une économie nationale en pleine expansion, donna lieu à un important conflit entre le gouvernement fédéral et celui du Québec. Ce dernier y voyait en effet une intrusion fédérale dans un domaine de juridiction provinciale. Ce n'est qu'en 1960, lorsque le parti libéral dirigé par Jean Lesage forma un nouveau gouvernement, que le Québec participa au programme.

Les accords de location signés en 1947 devant expirer au début de 1952, le gouvernement fédéral amorça dès 1950 des consultations avec les provinces en vue de leur renouvellement. Comme l'engagement du Canada dans la guerre de Corée, qui débuta en 1950, allait mobiliser une part importante des ressources fiscales du pays, les possibilités de transférer aux provinces une part plus importante des ressources provenant des impôts sur le revenu étaient fort limitées. Les dépenses militaires avaient la priorité. C'est pourquoi les accords fiscaux conclus pour la période 1952-57, tout en prévoyant des paiements un peu plus élevés que ceux de la période précédente, n'avaient rien de révolutionnaire. Ils prévoyaient cependant diverses formules pour calculer les paiements de location, formules parmi lesquelles chaque province pouvait choisir celle qui lui convenait le mieux. L'une de ces formules fut conçue à l'intention de l'Ontario, qui avait demandé que la valeur des paiements de location tienne compte des rendements des impôts auxquels une province signataire devait renoncer. L'Ontario accepta la formule proposée et signa une entente. Le gouvernement du Québec ne fit aucune proposition concernant une formule de location et refusa de souscrire à la nouvelle formule parce qu'il considérait que les accords de location étaient incompatibles avec le principe de l'autonomie provinciale.

Tout au cours de la période 1952-57, le premier ministre du Québec, Maurice Duplessis, continua de soutenir que les accords de location violaient l'esprit du « pacte » confédératif. Les responsabilités financières du gouvernement québécois augmentant d'année en année, il se vit cependant dans l'obligation de trouver de nouvelles sources de revenu. En 1954, il institua son propre régime d'impôt sur le revenu personnel. Les taux d'imposition correspondaient à environ 15% des taux fédéraux, soit 10% de plus que le crédit d'impôt provincial prévu dans la loi fédérale de l'impôt sur le revenu. Cela signifiait que les contribuables québécois allaient devoir payer au total (impôt fédéral plus impôt provincial) 10% de plus que ce qui était payé par les contribuables des autres provinces. C'est ce qu'on appela le problème de la « double taxation ».

En octobre 1954, le premier ministre du Canada, Louis Saint-Laurent, rencontra Maurice Duplessis pour trouver une solution à ce problème. Les deux hommes conclurent une entente qui, tout en ayant l'apparence d'un compromis honorable pour chacun, n'en constituait pas moins une importante victoire politique pour le premier ministre Duplessis. Celui-ci obtint en effet que le crédit d'impôt prévu dans la loi fédérale de l'impôt soit haussé de 5% à 10%. Le premier ministre provincial consentit par ailleurs à retirer de son projet de loi un paragraphe stipulant que les provinces avaient un droit de priorité dans le champ des impôts sur le revenu. La loi fédérale fut modifiée, de sorte que dès 1955 toute province voulant prélever son propre impôt sur le revenu personnel pouvait le faire jusqu'à concurrence de 10% des taux fédéraux, sans que ses contribuables n'aient à supporter un fardeau fiscal supérieur à celui des contribuables des autres provinces.

La décision du gouvernement Duplessis d'instituer son propre régime d'impôt consacrait le refus du Québec d'accepter les réaménagements que le gouvernement fédéral, influencé par la pensée keynésienne de l'époque, voulait mettre en oeuvre. Elle mettait en évidence l'impossibilité de créer un système de paiements de location qui eût rallié toutes les provinces. Elle survenait par ailleurs à un moment où la guerre de Corée avait pris fin et où l'on pouvait envisager une réduction importante du budget de la défense. L'économie canadienne était alors en pleine expansion et l'attention de l'opinion publique pouvait à nouveau se porter sur des questions reliées à une économie de paix, telles que la sécurité sociale, l'éducation, les soins médicaux, la construction de routes, etc. Le défi du gouvernement Duplessis survenait donc dans des circonstances particulièrement favorables au changement. Mais avant d'examiner comment la philosophie autonomiste que défendait alors le gouvernement Duplessis influença l'évolution du fédéralisme canadien, il convient d'en examiner un peu plus près les fondements.

CHAPITRE III

Un plaidoyer pour l'autonomie provinciale : le rapport Tremblay

> « Trop longtemps notre volonté
> de vivre fut supplantée par notre
> mémoire d'avoir été. »
> FERNAND OUELLETTE

Le principe de l'autonomie provinciale, défendu si ardemment par le premier ministre Duplessis au cours des années 40 et 50 et repris ensuite de diverses manières par ses successeurs, reposait sur une vision précise de la réalité canadienne. Cette vision a reçu une de ses expressions les plus achevées dans le *Rapport de la commission royale d'enquête sur les problèmes constitutionnels.* Depuis sa publication en 1956, il n'y a pas eu d'autre rapport ou document du genre décrivant les vues du gouvernement du Québec sur le fonctionnement du régime fédéral. Le mandat de cette commission, créée par le gouvernement Duplessis, décrit assez bien l'état d'esprit de ce gouvernement. La commission devait en effet « enquêter sur les problèmes constitutionnels... et soumettre ses recommandations quant aux mesures à prendre pour la *sauvegarde* des droits de la Province... » Elle était invitée à étudier « spécialement... les *empiètements* du pouvoir central dans le domaine de la taxation directe » ainsi que « les répercussions et les *conséquences de ces empiètements* dans le régime législatif et administratif de la province et dans la vie collective, familiale et individuelle de sa population ».[1] La Commission n'avait donc pas à déterminer si, oui ou non, il y avait empiétements du gouvernement fédéral dans la juridiction des provinces, mais à mesurer l'ampleur et les conséquences de ces empiétements.

Les commissaires furent nommés par le gouvernement provin-

---

1. Québec, *Rapport de la Commission royale d'enquête sur les problèmes constitutionnels*, volume I, 1956, p. vi.

cial en mars 1953. Il s'agissait de Thomas Tremblay, juge en chef
de la Cour des sessions; Esdras Minville, directeur de l'Ecole des
hautes études commerciales et de la faculté des Sciences sociales de
l'Université de Montréal; Honoré Parent, avocat et ancien président de la Chambre de commerce de Montréal; Richard Arès s.j.,
rédacteur à la revue *Relations*; John P. Rowat, notaire et président
de la Commission scolaire protestante de Montréal; et Paul-Henri
Guimont, secrétaire de la faculté des Sciences sociales de l'Université Laval.

Observations et conclusions du rapport

Le rapport de la Commission fut remis au gouvernement du Québec en 1956. Selon ce rapport, le problème constitutionnel résultait
« d'une divergence fondamentale d'interprétation du fédéralisme
canadien ».[2] Bien que le problème se manifestât surtout à propos
du partage des impôts, il mettait en cause « les fondements mêmes
du régime constitutionnel et politique » et devait être étudié « d'a-
bord dans les perspectives de l'histoire et des principes fondamen-
taux de la philosophie politique ».[3] Cette méthode, croyait-on, était
supérieure à celle de la Commission Rowell-Sirois dont le rapport
était « un essai d'interprétation économique de l'histoire du Canada » qui laissait « dans l'ombre l'aspect le plus profondément
humain et donc le plus significatif » de l'histoire d'un pays « profondément différencié ».[4] Selon la Commission Tremblay, le problème du fédéralisme était essentiellement culturel: « La dualité
des cultures est la donnée centrale du problème politique canadien,
quel que soit l'angle sous lequel on l'aborde. »[5]

Pour étayer cette thèse culturelle du fédéralisme, la Commission tenta de dégager ce qu'elle croyait être les caractères distinctifs
des deux cultures canadiennes. Cette tâche l'amena à insister non
seulement sur les différences linguistiques, mais aussi, et même
surtout, sur les différences religieuses. Le rapport définit en effet la
culture canadienne-française comme étant « chrétienne d'inspira-

---

2. Commission royale d'enquête sur les problèmes constitutionnels, *Rapport*, volume III, tome II, p. 286. (Le tome II du volume III contient un sommaire de
   l'ensemble du rapport.)
3. *Ibid.*, p. 287.
4. *Ibid.*
5. *Ibid.*, p. 291.

tion » et de « génie français ». Quant à la « culture anglo-protestante », elle est « de même inspiration générale bien que d'interprétation et de génie différents ». Elle se distingue de la culture « franco-catholique » parce que « elle ne conçoit pas de la même manière l'ordre de la vie temporelle et les relations de l'homme avec la société. Elle n'est pas communautaire, mais individualiste et libérale ».[6] Les deux communautés culturelles interprètent donc différemment « les concepts d'ordre, de liberté et de progrès ».[7] C'est pourquoi l'opposition entre les deux cultures se manifeste non pas tant dans les activités proprement culturelles que dans le tissu de la vie quotidienne :

> Ce n'est pas dans le domaine proprement intellectuel et artistique... que la dualité des cultures... pose un problème politique... C'est sur le plan de l'activité quotidienne, de l'action économique, sociale, juridique, politique où les intérêts des groupes en présence sont engagés que leurs conceptions respectives de la vie et de l'ordre se heurtent.[8]

La dualité culturelle du Canada exige que son système fédéral soit suffisamment souple pour assurer à chaque culture la possibilité de s'épanouir. La culture canadienne-française ayant comme « seul véritable foyer » le Québec, c'est au gouvernement de cette province qu'il appartient de prendre les initiatives touchant la vie économique et sociale de sa population. L'autonomie provinciale est nécessaire parce que seul le gouvernement du Québec peut exercer les nouvelles fonctions que la vie moderne impose à l'Etat « selon les modes les plus conformes aux besoins et à l'esprit de la population ».

Tout au long de son rapport, la Commission insiste sur le fait qu'il y a incompatibilité entre la nouvelle conception que le gouvernement fédéral a de son rôle et 'les valeurs de la société canadienne-française. Les politiques fédérales ont un caractère « technique » et « dirigiste » qui est mal adapté à une « économie politi-

---

6. Commission royale..., *Rapport*, volume II, p. 40.
7. Selon la Commission, la différence d'interprétation « vient surtout du libre examen, qui faisant de la religion une affaire strictement personnelle, a soustrait la morale sociale à toute discipline ecclésiastique et libéré la pensée sociale et politique de toute référence à un ordre transcendant. Pour un catholique... la liberté se définit par rapport à cet ordre. Pour le protestant... la liberté a primauté... ». (volume II, p. 40.)
8. *Ibid.*, p. 43.

que et sociale vraiment humaniste... que la province de Québec, si elle veut demeurer fidèle à sa culture, doit s'efforcer de faire triompher même si elle est plus difficile d'interprétation et doit entraîner une organisation plus complexe et d'un maniement plus lourd ».[9] La difficulté vient de ce que « ce sont les Anglo-Canadiens protestants qui contrôlent les gouvernements, non seulement des neuf autres provinces, mais de la Fédération canadienne elle-même ».[10] C'est pourquoi il importe de mettre fin à la « centralisation fiscale, sociale et économique » qui est contraire à « l'esprit du fédéralisme ».

Le rapport définit le régime fédéral comme un « régime d'association entre Etats dans lequel l'exercice de la puissance étatique se partage entre deux ordres de gouvernement, coordonnés mais non subordonnés entre eux, chacun jouissant du pouvoir suprême dans la sphère d'activité que lui assigne la constitution ».[11] Il s'emploie ensuite à démontrer comment les politiques fédérales d'après-guerre ne respectent pas cette conception qui avait pourtant, selon la Commission, inspiré les Pères de la Confédération. Il critique notamment les programmes à frais partagés créés par le gouvernement fédéral parce qu'ils permettent à celui-ci de dépenser d'importantes sommes d'argent dans des domaines de juridiction provinciale. Selon le rapport, ces programmes s'inspirent « de la mentalité, des besoins et de la philosophie de la vie de la majorité anglo-protestante ».

Le rapport conclut que le différend opposant Ottawa et Québec procède « d'une interprétation unitaire et non fédérative de la Constitution... et d'une conception technique-administrative et non politique du rôle de l'Etat en matière économique et sociale ».[12] Il faut donc revenir à l'esprit d'un fédéralisme authentique en procédant à une « réadaptation du régime fédéral de l'impôt aux besoins actuels de la population ». Cela implique que « les impôts sur le revenu affectant la personne et les institutions doivent être réservés aux provinces à qui incombe la juridiction en matière culturelle et sociale ».[13] Quant au gouvernement fédéral, il devrait « avoir seul

---

9. *Ibid.*, p. 75-76.
10. *Ibid.*, p. 280.
11. *Ibid.*, p. 98.
12. Volume III, tome II, p. 300.
13. *Ibid.*, p. 303.

accès aux impôts portant sur les biens et la circulation des biens ». Le transfert de la totalité des recettes provenant des impôts sur le revenu permettrait aux provinces de prendre en charge tout le domaine de la sécurité sociale, y compris l'assurance-chômage. Pour ce qui est des inégalités financières qu'un transfert des impôts sur le revenu eût occasionné entre les provinces, le rapport indique qu'elles seraient peu importantes sauf pour les provinces maritimes, et qu'un régime de péréquation pourrait solutionner ce problème.[14]

Le rapport propose également que les provinces puissent vendre leurs obligations d'épargne à la Banque du Canada, afin de disposer du crédit nécessaire à la construction de routes, hôpitaux, écoles. Ces travaux de construction sont perçus comme le principal moyen d'enrayer le chômage. Enfin le rapport, reconnaissant la nécessité de coordonner les politiques des différents gouvernements dans une fédération, propose que soit créé un Secrétariat des conférences fédérales-provinciales ainsi qu'un Conseil permanent des provinces.

Aussi étonnant que cela puisse paraître, la Commission, après avoir ainsi proposé qu'on « restitue à chaque ordre de gouvernement la plénitude et l'exclusivité de ses fonctions », semble s'être ravisée quelque peu. Les dernières pages du rapport proposent en effet une « solution intermédiaire », qui cherche à « tenir compte de la situation de fait et des habitudes de penser que les pratiques constitutionnelles du dernier quart de siècle ont fait naître ».[15] En vertu de cette solution, le gouvernement fédéral eût gardé une part importante de l'impôt sur le revenu des corporations ainsi que « les mesures de sécurité sociale qui lui ont été confiées ».

Les ambiguïtés du rapport

Le rapport Tremblay se voulait au fond une « défense et illustration » du fédéralisme classique fondé sur l'autonomie de chaque ordre de gouvernement, c'est-à-dire sur la capacité de chaque ordre de gouvernement d'agir de façon indépendante par rapport à l'autre. Il reconnaît certes la nécessité d'une coordination des politiques entre gouvernements. Mais dans sa conception du fédéra-

---

14. Le rapport ne semble pas reconnaître que le Québec puisse lui-même avoir droit à des paiements de péréquation.
15. *Ibid.*, p. 311.

lisme, la coordination est secondaire. Elle ne se comprend que par rapport à un principe premier qui est celui de l'autonomie ou de l'indépendance de chaque ordre de gouvernement. « Pas de fédéralisme sans autonomie des parties constituantes de l'Etat, et pas de souveraineté des divers gouvernements sans autonomie fiscale et financière. »[16] Ainsi se résume la philosophie fédéraliste des membres de la Commission. Ils ne pouvaient concevoir le fédéralisme sans une division presque étanche des responsabilités entre niveaux de gouvernement. Selon eux, la révolution industrielle, qui avait complètement transformé le paysage canadien et québécois entre 1867 et le milieu du XXe siècle, n'exigeait pas qu'on modifie cette conception classique. « Depuis 1867, conclurent-ils, la réalité canadienne a grandi, elle s'est articulée et intégrée, mais elle n'a pas changé quant à ses composantes culturelles et à ses exigences politiques. » Ce qu'il fallait donc, c'était procéder à un « retour intégral » à la constitution de 1867 et à l'esprit des Pères de la Confédération.

Le fait que cette constitution ait été conçue à une époque où la doctrine du «laisser-faire» était à son apogée et où le Canada n'était pas encore entré dans l'ère industrielle ne semble pas avoir préoccupé la Commission. Le rapport reconnaît la réalité de l'industrialisation au Québec et au Canada. Mais il ne reconnaît aucun lien nécessaire entre ce phénomène et le fonctionnement du fédéralisme. Il reconnaît que l'industrialisation élargit les fonctions de l'Etat — et même là, il le fait comme à regret — mais alors il s'agit d'un élargissement qui tout en augmentant les responsabilités provinciales ne remet pas en cause les principes du fédéralisme classique fondé sur une parfaite séparation des pouvoirs.

Bien que le rapport explique clairement la nature du système fédéral qui, selon ses auteurs, conviendrait au Québec, il recèle néanmoins certaines ambiguïtés importantes. Il critique la pensée étatiste, parce qu'elle conduit à des solutions « dirigistes » mal adaptées à la mentalité canadienne-française, mais il recommande que le gouvernement du Québec élabore un système complet de sécurité sociale. Il reconnaît la nécessité de favoriser le développement industriel du Québec et l'aptitude particulière des anglo-protestants dans le domaine des affaires, mais soutient que les concepts de liberté et de progrès, ainsi que la « signification du succès

---

16. *Ibid.*, p. 302-303.

matériel dans l'existence humaine », sont interprétés différemment par les deux groupes culturels et que la constitution doit permettre la conservation de ces différences. Après avoir mis l'accent sur la façon différente dont les deux cultures interprètent ces valeurs, le rapport insiste sur le fait qu'elles sont néanmoins toutes deux « personnalistes » et «qualitatives» et que les deux groupes culturels ont intérêt à unir leurs forces pour résister au caractère impersonnel et exclusivement technique de la grande industrie. Il insiste pour que les compétences fédérales soient circonscrites aux matières qui n'affectent pas directement les individus, mais reconnaît que le Canada, dans son ensemble, ne pourra s'épanouir que par une « action expresse, intelligente et sans cesse en éveil de l'Etat ». L'ambiguïté se retrouve même dans les recommandations du rapport, puisqu'après avoir proposé que l'on remette aux provinces le contrôle exclusif des impôts sur le revenu et de tout ce qui touche à la sécurité sociale, il suggère une solution intermédiaire admettant une participation fédérale à ces deux domaines.

Le rapport fut donc écrit par des hommes qui, tout en étant conscients des changements suscités par l'industrialisation et l'urbanisation, ne croyaient pas que ces changements dussent influencer sérieusement les rapports entre les deux groupes culturels et le fonctionnement du régime fédéral canadien. En proclamant que les valeurs telles que la liberté, le progrès et l'ordre avaient dans la culture franco-catholique une interprétation différente de celle que lui donnait la culture anglo-protestante, le rapport omettait de reconnaître que cette interprétation était elle-même appelée à se transformer sous l'effet de l'industrialisation et de l'urbanisation. Les choses pouvaient changer dans l'ordre économique, croyait-on, sans qu'il faille envisager des changements dans l'ordre culturel ou dans l'ordre politique.

L'influence du rapport

Quoi qu'on puisse dire du rapport Tremblay, on ne saurait nier qu'il a eu une influence profonde sur les différents gouvernements qui ont présidé aux destinées du Québec depuis sa publication en 1956. Ses recommandations ont en effet inspiré plusieurs des positions adoptées par le gouvernement québécois au cours des quinze dernières années dans ses négociations avec le gouvernement fédéral. Dès 1962, le premier ministre Lesage demanda que l'on transfère aux provinces une part des impôts fédéraux sur le revenu et que l'on confie aux provinces l'entière responsabilité des programmes à frais partagés. Son successeur, Daniel Johnson, réaffirma, quant à lui, le lien que le rapport établissait entre la dualité culturelle et la nature du fédéralisme canadien. Selon lui, il convenait de rédiger une nouvelle constitution canadienne « dont la base soit la reconnaissance des deux nations, qui ait assez de souplesse pour nous laisser évoluer à notre guise tout en permettant à nos compatriotes de langue anglaise d'agir comme bon leur semble en ce qui concerne l'épanouissement de leur propre culture ».[17] Au cours des années 70, les mêmes idées furent reprises à quelques nuances près par le gouvernement libéral de Robert Bourassa. Plusieurs des idées émises par la Commission ont également été reprises par le Parti québécois, bien que les conséquences qu'il en tire au plan de l'action politique soient bien différentes de celles qu'en ont tirées les commissaires et les autres partis politiques québécois. On peut donc conclure qu'il y a une parenté « spirituelle » manifeste entre le rapport Tremblay et la pensée constitutionnelle des principaux partis politiques du Québec, que ceux-ci soient fédéralistes ou non.

---

17. Daniel Johnson, *Egalité ou indépendance*, Editions Renaissance, 1965, p. 90.

CHAPITRE IV

Une ère de décentralisation : 1957-1978

> « *No part of the Canadian Constitution has been more flexible, more responsive to changing political and economic pressures than the subsidies provisions and tax arrangements.* »
>
> F.R. Scott

Jusqu'à quel point le fédéralisme canadien a-t-il pu être adapté aux exigences formulées par le Québec depuis la publication du Rapport Tremblay? Ces exigences étaient-elles compatibles avec les principes du nouveau fédéralisme keynésien ayant inspiré les initiatives fédérales d'après-guerre? Etait-il possible de trouver des arrangements permettant de satisfaire au moins partiellement les conceptions différentes d'Ottawa et de Québec? Pour répondre à ces questions, il faut examiner les différents arrangements qui ont été mis au point entre les deux gouvernements dans les domaines qui intéressent plus particulièrement le Québec. Les arrangements les plus importants sont, bien sûr, ceux qui ont trait aux questions fiscales.

Pour analyser l'évolution fiscale du fédéralisme canadien au cours des vingt dernières années, il convient de distinguer trois aspects différents mais reliés des relations financières entre les deux ordres de gouvernement. Ce sont : le partage des impôts, les programmes à frais partagés (donnant lieu à ce qu'on appelle, dans le jargon des relations fédérales-provinciales, les subventions conditionnelles) et la péréquation des revenus provinciaux. Chaque question peut être examinée séparément.

Les accords de partage des impôts

Les accords de location d'impôts, en vertu desquels les provinces renonçaient à exercer leurs droits de prélever des impôts sur le revenu en échange d'un certain montant versé par le gouvernement fédéral entrèrent en vigueur en 1941, furent renouvelés par toutes les provinces sauf le Québec et l'Ontario en 1947, puis par toutes les provinces sauf le Québec en 1952. Cette dernière province ayant créé son propre régime d'impôt sur le revenu personnel en 1954, il devenait impérieux de trouver un arrangement pour la période 1957-1962 qui pût lui convenir.

C'est ainsi que, dès janvier 1956, le premier ministre Saint-Laurent proposa aux provinces de renouveler les accords de 1952, tout en reconnaissant explicitement leurs droits de prélever leurs propres impôts. Selon la proposition fédérale, chaque province pouvait soit prélever elle-même ses propres impôts sur les revenus des individus et des corporations ainsi que ses propres droits successoraux, soit «louer» ces impôts au gouvernement fédéral. Dans ce dernier cas, le paiement de location versé à une province devait être égal à 10% du produit de l'impôt fédéral sur le revenu personnel dans la province (ce pourcentage fut augmenté à 13% en 1958), plus 9% des profits imposables des corporations, plus 50% des droits fédéraux de succession prélevés dans la province. Par ailleurs, les contribuables d'une province ne voulant pas louer ses droits d'imposition devaient bénéficier d'abattements d'impôts (c'est-à-dire des réductions identifiables de l'impôt fédéral payable) correspondant aux pourcentages utilisés pour le calcul des paiements de location. Cette disposition signifiait qu'une province qui ne signait pas un accord de location pouvait prélever ses propres impôts et obtenir les mêmes revenus qu'une province signataire en appliquant des taux d'imposition équivalant aux pourcentages mentionnés ci-haut. Ainsi, la somme des impôts fédéral et provincial payés par ses contribuables n'excéderait pas l'impôt fédéral payé par les contribuables d'une province signataire.

Au point de vue historique, les arrangements de 1957 constituaient un changement capital. Ceci n'empêcha pas toutefois que d'autres changements importants fussent effectués en 1962. En effet, le gouvernement fédéral proposa alors de remplacer la notion de location des droits d'imposition par une nouvelle forme de partage offrant une plus grande souplesse aux provinces. Il s'agissait de remplacer les accords de *location* d'impôts par des accords de *perception* d'impôts. En vertu de ces accords, chaque province doit adopter ses propres lois d'impôt sur le revenu des particuliers et des sociétés et le gouvernement fédéral doit percevoir gratuitement les impôts prescrits par ces lois. Par conséquent, dans une province signant un accord de perception, il n'y a qu'une seule agence qui soit responsable de la perception de l'impôt et le contribuable peut calculer ses impôts fédéral et provincial en utilisant une seule déclaration plutôt que deux.

Les accords de perception permettent aux provinces d'imposer les taux qu'elles désirent sans avoir à mettre sur pied leurs propres services de perception. La seule condition que le gouvernement fédéral impose aux provinces signataires est qu'elles adoptent la définition du revenu imposable contenue dans la loi fédérale de l'impôt sur le revenu. Depuis 1962, toutes les provinces sauf le Québec ont conclu des accords de perception des impôts sur le revenu personnel. De plus, toutes les provinces sauf le Québec et l'Ontario ont signé des accords de perception des impôts sur le revenu des corporations.

Entre 1962 et 1967, le gouvernement fédéral réduisit sa part de l'impôt sur le revenu personnel à diverses occasions. Ces réductions furent réalisées grâce à des «abattements» d'impôts. Cette expression désigne tout simplement une réduction de l'impôt fédéral sur le revenu personnel ou de l'impôt fédéral sur les revenus des corporations, laquelle permet aux provinces d'augmenter leurs impôts sur ces mêmes revenus sans alourdir le fardeau total des contribuables. Il s'agit donc d'un mécanisme utilisé pour transférer des ressources fiscales d'un niveau de gouvernement à un autre.[1]

En vertu des accords de partage d'impôts de 1962, les abattements furent d'abord fixés à 16% de l'impôt fédéral de base sur le revenu des particuliers et à 9% du revenu imposable des sociétés. Plus tard, des dispositions furent prises en vue d'accroître chaque année l'abattement de l'impôt sur le revenu des particuliers jusqu'à ce qu'il atteigne 24% en 1966. En 1967, il était augmenté de 4 points de pourcentage jusqu'à 28% alors que l'abattement de l'impôt sur le revenu des corporations passait de 9 à 10% des bénéfices imposables. Ces deux derniers accroissements avaient pour objet de dé-

---

1. Dans le cas de l'impôt sur le revenu personnel, la valeur d'un abattement se mesure en points de pourcentage de l'impôt fédéral de base. Un abattement de un point d'impôt sur le revenu personnel est une réduction de 1% de l'impôt fédéral de base sur le revenu personnel. Dans le cas de l'impôt sur le revenu des corporations, la valeur d'un abattement se mesure en points de pourcentage du revenu imposable des corporations.

dommager les provinces pour une portion des coûts qu'elles assumaient pour l'enseignement post-secondaire. Le reste était payé en espèces.

Les augmentations successives des abattements fédéraux entre 1961 et 1967 permirent aux provinces d'augmenter leurs revenus fiscaux d'une façon substantielle sans alourdir le fardeau de leurs contribuables. En réduisant ses propres impôts de façon à permettre aux provinces d'augmenter les leurs, le gouvernement fédéral reconnaissait que le maintien d'un équilibre fiscal entre les deux niveaux de gouvernement exigeait des rajustements en faveur des provinces.

Il ne fait aucun doute que les changements décrits plus haut ont considérablement modifié le partage des ressources fiscales entre les deux ordres de gouvernement. Le passage d'un régime fondé sur les accords de location à un régime fondé sur les accords de perception a redonné une très grande liberté aux provinces en matière fiscale. Par ailleurs, en augmentant les abattements d'impôts entre 1962 et 1967, le gouvernement fédéral a réduit la place qu'il occupait dans les champs d'imposition et a accru celle occupée par les provinces.

Les programmes à frais partagés (subventions conditionnelles)

Les programmes à frais partagés constituent un autre volet essentiel de la structure fiscale du fédéralisme canadien de l'après-guerre. Plusieurs programmes de ce genre ont été mis en place au cours des ans. Les plus importants sont au nombre de quatre: l'assurance-hospitalisation, l'assurance-maladie, le régime d'assistance publique du Canada et le transfert relatif à l'enseignement post-secondaire.

Les paiements que le gouvernement fédéral verse à une province en vertu de ces programmes sont généralement appelés subventions conditionnelles. Ces subventions sont conditionnelles en ce sens que leurs montants sont généralement liés aux dépenses provinciales en vertu d'une formule prévoyant un partage des coûts à raison de 50-50. Par ailleurs, la notion de conditionnalité est parfois utilisée pour désigner des subventions qui sont octroyées seulement si certains critères sont satisfaits, que ces subventions soient ou ne soient pas calculées selon une formule de partage des coûts. Afin d'éviter cette ambiguïté, le qualificatif « conditionnel » sera employé, à moins d'indication contraire, pour désigner l'idée d'un partage des coûts, c'est-à-dire comme synonyme de « frais parta-gés ».

Les programmes à frais partagés furent institués dans le do-maine de la santé et du bien-être social afin que les provinces puis-sent offrir à leur population des services de santé et de bien-être conformes à certaines normes « nationales ». Il s'agissait au fond pour le gouvernement fédéral de faire en sorte que la qualité de ces services ne varie pas trop sensiblement entre provinces riches et provinces pauvres. Ces programmes procédaient donc d'un désir d'assurer à tous les Canadiens des services publics essentiels sur une base équitable.

Ces programmes étaient cependant perçus par le Québec comme un instrument de centralisation indue. Cette perception était partagée par d'autres provinces, et notamment par l'Ontario et l'Alberta. Elles critiquaient le fait qu'en leur offrant de payer 50 cents pour chaque dollar qu'elles dépenseraient sur un programme donné, le gouvernement fédéral les obligeait en réalité à mettre en oeuvre un programme qu'elles n'auraient pas autrement institué ou qu'elles auraient institué d'une manière différente. C'est en raison des pressions provinciales, plus particulièrement des pressions exercées par le Québec, que le gouvernement fédéral fit part dès 1963 de son désir de se retirer de certains de ces programmes jugés désormais « bien établis » en remplaçant les subventions en espèces par un abattement d'impôts.

L'expression « bien établis » s'appliquait aux programmes ayant atteint un certain degré de « maturité », c'est-à-dire des pro-grammes qui étaient en vigueur depuis assez longtemps et dont l'o-pinion publique était suffisamment satisfaite pour qu'on soit assuré qu'ils ne fussent pas supprimés par les provinces. En se disant dis-posé à se retirer de ces programmes, le gouvernement fédéral indi-quait qu'il était prêt à remplacer les subventions qu'il versait pour financer sa part des programmes par un abattement d'impôts. Cet abattement impliquait que chaque province assumerait entière-ment la responsabilité financière et administrative des programmes qu'elle gérait et que, pour ce faire, elle disposerait d'un certain nombre additionnel de points d'impôt sur le revenu plutôt que de subventions en espèces provenant du gouvernement fédéral.

Entre 1966 et 1973, le gouvernement fédéral présenta aux pro-vinces un certain nombre de propositions pour opérer ce change-ment. Mais ces propositions furent rejetées par la plupart des provinces, qui jugèrent que la compensation offerte par le gouvernement fédéral était insuffisante pour qu'elles prennent le risque d'assumer seules le financement des programmes établis. Le désir du gouvernement fédéral d'établir un nouveau mode de financement fut cependant renforcé par le fait que ces programmes, dont il ne pouvait en aucune manière contrôler les coûts, engouffraient une part importante de ses ressources. Finalement, en 1976 une entente fédérale-provinciale put être conclue pour assurer un nouveau mode de financement pour l'assurance-hospitalisation, l'assurance-maladie et l'enseignement post-secondaire. En vertu de cette entente — que l'on appelle les arrangements relatifs au Financement des Programmes Etablis ou arrangements FPE — les contributions fédérales à l'égard de ces trois programmes prennent la forme de transferts qui sont à la fois des transferts fiscaux (c'est-à-dire des points d'impôts) et des transferts en espèces.[2]

L'aspect sans doute le plus important des arrangements FPE, lesquels sont entrés en vigueur le 1er avril 1977, est que la valeur des contributions fédérales pour les trois programmes « établis » n'est plus liée au montant des dépenses provinciales. Ce qui se produit plutôt, c'est que les contributions fédérales pour une année de base sont accrues chaque année selon le taux de croissance de l'économie. Tel que mentionné plus haut, ces contributions sont formées d'un « mélange » de transfert fiscal et de transfert en espèces. Le transfert fiscal est constitué de 13.5 points de l'impôt sur le revenu personnel et de 1 point de l'impôt sur le revenu des corporations, lesquels sont assujettis à la péréquation au niveau de la moyenne nationale. Le transfert en espèces comporte d'une part un montant en espèces, dit « montant de base », qui vise à garantir un financement stable, et, d'autre part, des paiements de transition dont l'objet est d'éviter qu'une province puisse subir une perte financière en raison du fait qu'elle ait accepté une partie de la contribution fédérale sous forme de points d'impôts.

Par ailleurs, les provinces doivent, comme dans le passé, faire

---

2. Au point de vue technique, un transfert fiscal (ou transfert de points d'impôt) est quelque peu différent d'un abattement. Un transfert fiscal implique en effet que le gouvernement fédéral accorde un certain espace fiscal aux provinces en réduisant le barème de ses taux, et, donc, le rendement de l'impôt fédéral de base. Avec un abattement, le gouvernement fédéral accorde un espace fiscal au moyen d'une déduction spéciale s'appliquant après que l'impôt fédéral de base est déterminé.

en sorte que leurs programmes d'assurance-hospitalisation et d'assurance-maladie demeurent universels, complets, transférables et accessibles.[3]

Ces nouveaux arrangements furent conçus afin d'introduire plus de souplesse dans l'administration des programmes provinciaux et d'en augmenter ainsi les rendements. Comme la valeur de la contribution fédérale croît en fonction du produit national brut plutôt qu'en fonction des dépenses provinciales, une économie dans les coûts des programmes n'entraîne plus automatiquement une réduction de la contribution fédérale. De plus, comme les provinces n'ont plus à soumettre des réclamations financières au gouvernement fédéral, il n'est plus nécessaire que les dépenses provinciales soient soumises à la vérification d'agents fédéraux.

Les nouveaux arrangements marquent un tournant dans l'histoire du fédéralisme canadien. Ils constituent aussi une nouvelle étape dans le vaste mouvement de décentralisation fiscale qui s'est amorcé au milieu des années 50 et qui n'a pas cessé de progresser depuis.

Les paiements de péréquation

Les provinces canadiennes ont toutes les mêmes responsabilités constitutionnelles. En raison des disparités économiques qui existent entre les diverses régions du pays, elles n'ont cependant pas la même capacité financière d'assumer ces responsabilités. Par exemple, l'Alberta peut, grâce à son pétrole et son gaz naturel, se payer des services publics de meilleure qualité que ne le peut Terre-Neuve tout en ayant des taux d'imposition très inférieurs à ceux de cette province. Pour que chaque province soit en mesure d'offrir à ses citoyens des services publics de qualité raisonnable sans avoir recours à des niveaux d'imposition trop élevés, il faut donc prévoir un mécanisme permettant de redistribuer la richesse entre les régions. Ce mécanisme prend au Canada la forme de paiements de

---

3. « Universel » signifie que chaque programme doit s'appliquer à tous les citoyens sans égard à leur niveau de revenu; « complet » signifie que chaque programme doit prévoir un éventail adéquat de services; « transférable » signifie qu'un citoyen ne doit pas être privé des avantages d'un programme en raison de son déménagement d'une province à une autre; « accessible » signifie que les frais payables par un patient ne doivent pas gêner l'accès aux services.

péréquation financés et administrés par le gouvernement fédéral. Il s'agit de paiements inconditionnels versés aux provinces dont les ressources fiscales (c'est-à-dire les assiettes fiscales) sont inférieures à la moyenne nationale.

Les divers accords de location d'impôts comportaient des éléments de péréquation implicite. Cependant, seules les provinces qui participaient aux accords avaient droit à cette péréquation. En 1957, la péréquation était dissociée de la location des impôts. Elle constituait dès lors un programme distinct et séparé et devenait, par le fait même, inconditionnelle. La péréquation était alors fonction des rendements dans chaque province de l'impôt sur le revenu des particuliers, de l'impôt sur le revenu des corporations, et des droits de succession, lesquels rendements étaient calculés en fonction des taux prévus par les accords de location.

En 1967-68, le gouvernement fédéral mit en place la formule de péréquation qui est aujourd'hui en vigueur. Cette formule, dont l'adoption fut précédée de discussions prolongées avec les provinces, tient compte des rendements de presque toutes les sources de revenus que les provinces exploitent.

Les paiements de péréquation constituent un élement essentiel de la structure financière des provinces pauvres depuis plusieurs années. Pour l'année fiscale 1979-80, on estime que le Québec recevra environ $1 352 millions, soit $216 par habitant, au titre de la péréquation. Terre-Neuve recevra de son côté une somme estimée à $340 millions, soit $592 par habitant. Les paiements de péréquation représentaient en 1977-78 environ 18.5% de la valeur totale des recettes fiscales prélevées par les sept provinces auxquelles ils étaient destinés. Les paiements versés au Québec représentaient environ 15% pour cent de la valeur des recettes prélevées par le gouvernement de cette province.

Le partage des revenus : vue d'ensemble

Les arrangements concernant le partage des impôts sur le revenu, les programmes à frais partagés et la péréquation des recettes provinciales constituent autant de décisions qui ont contribué à considérablement décentraliser le régime des années 40 et 50. Pour vérifier l'importance de cette décentralisation, il suffit de constater comment la part de chaque ordre de gouvernement dans le total des revenus gouvernementaux a évolué au cours des trente dernières années.

TABLEAU I

Part que détient chaque ordre de gouvernement dans
le total des revenus gouvernementaux prélevés au Canada

	% Fédéral	% Provincial- municipal
1945*	71.5	28.5
1950*	64.1	35.9
1960*	58.2	41.8
1970	50.9	49.1
1976	50.7	49.3
1977	47.2	52.8
1978	45.6	54.4

*Les paiements de location ont été traités comme des recettes provinciales et ont
été déduits des recettes fédérales.

Source: Ministère fédéral des Finances, *Revue économique* (avril 1979).

Le tableau qui précède indique que le gouvernement fédéral
prélevait en 1945 plus de 71% de tous les impôts payés par les contribuables canadiens, alors que les provinces n'en prélevaient que
28.5%. Depuis cette époque, cependant, la part provinciale-munici-
pale n'a jamais cessé de croître, atteignant 41.8% en 1960, et 54.4%
en 1978.

Le degré de décentralisation apparaît encore plus avancé lorsqu'on tient compte des paiements en espèces que le gouvernement
fédéral verse aux provinces. En soustrayant la valeur de ces subventions des revenus fédéraux et en l'ajoutant aux revenus du secteur provincial-municipal, on obtient la répartition suivante:

Voir tableau II en page suivante

TABLEAU II

Part que détient chaque ordre de gouvernement dans le
total des revenus gouvernementaux lorsque les subventions
fédérales sont considérées comme un revenu du secteur provincial-
municipal et soustraites des revenus fédéraux

	% Fédéral	% Provincial- municipal
1945	69.2	30.8
1950	59.8	40.2
1960	51.6	48.4
1970	39.8	60.2
1976	38.6	61.4
1977	34.3	65.7
1978	32.6	67.4

Source: Comme pour le tableau I.

Ces chiffres révèlent une tendance encore plus marquée vers la décentralisation. D'une certaine façon, ils mesurent l'étendue de la décentralisation d'une manière plus adéquate que le tableau I parce qu'ils indiquent les ressources réelles dont dispose chaque ordre de gouvernement. L'inclusion des subventions conditionnelles dans les revenus provinciaux exagère jusqu'à un certain point le degré de décentralisation, surtout pour la période 1967-76. Mais comme les subventions conditionnelles sont moins importantes que les subventions inconditionnelles depuis 1977 (année où les arrangements FPE entrèrent en vigueur), la tendance vers la décentralisation pour les années 1977 et 1978 est renforcée.

Le tableau II révèle que le Canada a atteint un fort degré de décentralisation par rapport au passé: deux tiers des recettes gouvernementales totales reviennent au secteur provincial-municipal (une fois que les transferts en espèces ont été effectués). En 1978, la part fédérale était inférieure à un tiers. Selon les données disponibles, la seule autre période où les recettes fédérales ont représenté une part plus petite fut le début des années 30, alors que la part fédérale des revenus (après transferts) fut inférieure à 30%.

Pour juger jusqu'à quel point le Canada est maintenant décentralisé, on peut comparer les parts de revenus des deux niveaux de gouvernement à celles observées dans d'autres fédérations modernes. Le tableau III compare la situation du Canada en 1976 avec celle de l'Australie, des Etats-Unis, de l'Allemagne de l'Ouest et de la Suisse.

TABLEAU III

Part des revenus autonomes que détient chaque ordre de gouvernement dans le total des revenus dans cinq fédérations, 1976

	% *Fédéral*	% *Provincial- municipal*
Australie	77.7	22.3
Etats-Unis	55.8	44.2
Canada	50.0	50.0
Allemagne	49.4	50.6
Suisse	43.1	56.9

Note: Exclut les contributions à des régimes de sécurité sociale, c'est-à-dire des régimes qui sont organisés séparément des autres activités des gouvernements. Dans le cas du Canada, ces régimes sont essentiellement le Régime des Pensions du Canada, le Régime des Rentes du Québec et le programme d'assurance-chômage. L'importance relative des contributions de sécurité sociale varie d'un pays à l'autre. En 1976, ces contributions, exprimées en pourcentage des recettes gouvernementales totales, s'établissaient comme suit: Australie: 0%; Etats-Unis: 23%; Canada: 10%; Allemagne de l'Ouest: 33%; Suisse: 26%.

Source: Comptes nationaux des pays de l'OCDE, 1976, volume II (1976 est l'année la plus récente).

Ces chiffres indiquent qu'avant la mise en place des arrangements FPE, la structure fiscale du Canada ressemblait beaucoup à celle de l'Allemagne et que la Suisse était le seul pays fédéral moderne qui était, au point de vue fiscal, sensiblement plus décentralisé que le Canada. Comme la part fédérale des recettes totales au Canada a diminué d'environ 5 points de pourcentage (voir tableau I) depuis 1976, il est raisonnable de conclure que le Canada ne le cède aujourd'hui qu'à la Suisse pour ce qui est de la décentralisation fiscale. Or, la Suisse est généralement considérée comme la fédération la plus décentralisée au monde.

L'expérience de la Suisse peut sembler particulièrement pertinente pour le Canada.[4] Il faut pourtant reconnaître que ce pays est différent du Canada sous plusieurs rapports. C'est le cas notamment en ce qui concerne la façon dont le gouvernement central gère l'économie. Selon certains experts, les arrangements fiscaux de la Suisse rendent impossible la mise en oeuvre par le gouvernement suisse d'une politique normale de stabilisation économique.[5]

Les Suisses ont cependant un mécanisme de stabilisation particulier fondé sur le contrôle du nombre de travailleurs étrangers ayant le droit de travailler sur leur territoire. Cette «soupape de sécurité» convient à très peu de pays et certainement pas au Canada. En 1971, par exemple, la Suisse comptait, selon les statistiques officielles de ce pays, environ un million de travailleurs étrangers, 59 chômeurs et 4 885 emplois vacants. Lorsqu'une récession survient, elle s'y manifeste non par une hausse du chômage, mais par un renvoi des travailleurs étrangers. A moins de pouvoir utiliser ce genre de soupape, la décentralisation fiscale exigerait une coordination fédérale-provinciale plus poussée en ce qui concerne la formulation des politiques macroéconomiques. Ce qui devrait étonner les Canadiens, ce n'est pas tant le fait que leur pays ait atteint un degré de décentralisation comparable à celui de la Suisse, mais bien le fait qu'il l'ait atteint *dans un contexte économique qui exige des politiques conjoncturelles et structurelles dont la Suisse a pu largement se passer.*

La reconnaissance des particularismes

Le mouvement de décentralisation observé depuis 1957 n'a pas été une affaire exclusivement fiscale. Il s'est également manifesté par de nombreux autres arrangements dans les domaines tels que les

---

4. Le rapport de la Commission sur l'unité canadienne (présidée par MM. Pépin et Robarts) affirme que « le Canada aurait tout avantage à imiter la Suisse » parce que ses habitants auraient édifié leur pays à partir « d'un grand respect des particularismes régionaux, à un point tel que c'est probablement leur principale caractéristique ». (p. 40)

5. « C'est en raison des dispositions mentionnées précédemment que le gouvernement fédéral de la Suisse est incapable, entre autres, de mener une politique fiscale macroéconomique positive.» Voir: *Report of the Study Group on the Role of Public Finance in European Integration*, Volume II, Brussels, April 1977, p. 495 à 506.

pensions, les allocations familiales, l'immigration, etc. Une description de ces arrangements pourrait sans doute faire l'objet d'un livre complet. Il suffira ici de présenter quelques exemples de tels arrangements qui semblent particulièrement significatifs.

a) Le Régime des Rentes du Québec

Au printemps 1963, le gouvernement fédéral faisait part publiquement de son intention d'instituer un régime universel de pensions de retraite. A cette même époque, des études étaient en cours à Québec en vue de créer un régime provincial de pensions. Un arrangement fut conclu en vertu duquel le Québec put se doter de son propre régime de retraite alors que les neuf autres provinces adoptèrent le Régime des Pensions du Canada. L'arrangement permet à un résident déménageant du Québec vers une autre province ou vice versa de transférer les bénéfices d'un régime à l'autre.

b) Les allocations familiales

En 1974, le gouvernement fédéral procéda à une réforme majeure de son régime d'allocations familiales. Suite à des représentations faites par le gouvernement du Québec, le gouvernement fédéral décida de reconnaître aux provinces le pouvoir de moduler les allocations versées sur leur territoire selon l'âge des enfants ainsi que selon leur rang dans la famille. Les modulations sont assujetties à deux conditions : (a) elles ne doivent pas avoir pour effet d'accroître le montant total d'allocations qui serait autrement payé dans la province; (b) elles ne doivent pas avoir pour effet de réduire l'allocation payable à l'égard d'un enfant de plus de 60% de l'allocation qui serait autrement payée par le gouvernement fédéral.

c) Les accords en matière d'immigration

Depuis une dizaine d'années, le gouvernement québécois a manifesté le désir de participer à l'élaboration et à l'administration de la politique canadienne d'immigration. La compétence des provinces en ce domaine est reconnue par la constitution. Un premier accord conclu en 1975 permit à la province d'envoyer ses propres agents dans les bureaux canadiens d'immigration à l'étranger, afin qu'ils puissent procéder avec leurs homologues fédéraux à la sélection des immigrants voulant s'établir au Québec. En 1978, le gou-

vernement du Québec proposa que les deux ordres de gouvernement se partagent de façon égale les critères utilisés pour la sélection des immigrants. C'est ainsi que fut conclu en 1978 un nouvel
accord qui a pour effet de donner au Québec un droit de véto à l'é-
gard de tout candidat étranger désirant élire domicile sur son territoire.

d) L'assurance-dépôts

En 1967, le gouvernement fédéral créait la *Société d'assurance-dépôts du Canada (SADC)* dont l'objectif est d'assurer les dépôts placés dans les banques et les institutions para-bancaires jusqu'à concurrence de $20 000 par dépôt. Le gouvernement du Qué-
bec ayant manifesté le désir d'instituer son propre régime d'assurance-dépôts pour les institutions à charte provinciale, la loi créant
la SADC fut conçue de manière à tenir compte de ce désir. C'est
pourquoi la SACD n'assure au Québec que les dépôts auprès des
institutions à charte fédérale, les dépôts auprès des autres institutions étant assurés par la Régie de l'assurance-dépôts du Québec.

Il serait possible de multiplier les exemples d'arrangements
spéciaux destinés à satisfaire les besoins particuliers des provinces.
On en trouve dans le domaine du développement régional, de la
protection de l'environnement, des pêcheries, etc. Les exemples qui
précèdent devraient pourtant suffire à illustrer la très grande souplesse du système fédéral canadien.

Les données qui précèdent suggèrent que (a) une importante
décentralisation fiscale s'est opérée progressivement depuis 1957;
(b) de nombreux arrangements relatifs aux dépenses et aux politiques fédérales ont été élaborés au cours de cette période pour tenir
compte des particularismes provinciaux; et (c) le régime fédéral canadien semble être un des régimes les plus décentralisés au monde.

CHAPITRE V

De l'autonomie à l'interdépendance

> « Those who want to get back
> the substance of the classical
> federalism will gave to reduce
> greatly big business, big
> government, and economic
> interdependance. »
>
> J.A. CORRY

Au cours des vingt dernières années, le régime fédéral canadien s'est-il éloigné ou s'est-il rapproché de la conception classique du fédéralisme que défendait le rapport Tremblay et qui a inspiré dans une large mesure les différents gouvernements qui se sont succédé à Québec depuis sa publication? Telle est la question à laquelle il faut, en définitive, trouver une réponse. Celle-ci devrait indiquer en effet jusqu'à quel point le Canada dans son ensemble a été attentif aux désirs du Québec.

Si les membres de la Commission Tremblay devaient examiner à nouveau le fonctionnement de la fédération canadienne, ils y trouveraient sans doute plusieurs motifs de satisfaction. Force leur serait de constater en effet que le partage des ressources fiscales a été modifié de façon radicale; que le système des paiements de péréquation est inconditionnel et particulièrement généreux; que les programmes à frais partagés n'ont plus l'importance et la portée qu'ils avaient; que le Québec a institué son propre régime de pensions de retraite; qu'il peut déterminer à l'intérieur de certaines limites la « configuration» des allocations familiales versées sur son territoire, etc. Bref, les commissaires seraient bien obligés d'admettre que le fédéralisme canadien a été considérablement décentralisé dans l'ordre fiscal et que son fonctionnement a été sensiblement assoupli.

En poussant leur examen un peu plus loin, les commissaires seraient cependant conduits à conclure que la structure fédérale actuelle ne correspond pas du tout à la conception classique du fédéralisme qu'ils défendaient. Ils constateraient en effet que dans presque tous les domaines d'activité gouvernementale, le gouvernement fédéral et les provinces sont appelés à se consulter de façon régulière, que le nombre des mécanismes de consultation fédérale-provinciale a suivi une progression géométrique au cours de la dernière décennie,[1] et que les accords, ententes ou programmes entre les deux ordres de gouvernement se sont multipliés au même rythme. Ils découvriraient que le gouvernement fédéral continue de s'intéresser à des questions qui relèvent d'abord de la compétence des provinces. Mais ils découvriraient en même temps que les provinces s'intéressent elles aussi aux questions relevant d'abord de la juridiction fédérale, telles que la politique monétaire, le commerce international, le droit de la mer, etc., et que le gouvernement fédéral est souvent incapable d'agir dans ces domaines sans leur collaboration. Ils découvriraient enfin que certaines politiques telles que celles concernant le développement régional, les affaires culturelles, la recherche scientifique et l'innovation, la protection de l'environnement et l'expansion industrielle ne relèvent clairement d'aucune juridiction particulière et exigent une collaboration étroite entre les deux ordres de gouvernement.

Nos commissaires découvriraient donc un régime fédéral très décentralisé où chaque ordre de gouvernement peut rarement agir sans influencer de quelque manière les programmes ou les politiques mis en oeuvre par l'autre ordre de gouvernement. Bref, ils découvriraient que l'autonomie provinciale a été graduellement rongée tout comme d'ailleurs l'autonomie fédérale a été graduellement rongée. En poursuivant un peu plus loin leur examen, nos commissaires découvriraient enfin que personne n'a jamais décidé que le principe de l'autonomie devait disparaître mais qu'il s'était effacé progressivement, presque discrètement, à mesure que les deux ordres de gouvernement élargissaient leur sphère d'activité. Bref ils constateraient que l'autonomie de chaque ordre de gouvernement a cédé la place à l'interdépendance.

C'est cette notion d'interdépendance qu'il importe d'analyser si on veut comprendre le fonctionnement d'un régime fédéral mo-

---

1. Un inventaire préparé par le Bureau des relations fédérales-provinciales en 1972 révèle qu'il y avait alors 482 organismes de liaison entre les deux ordres de gouvernement et qu'ils traitaient de questions touchant tous les domaines d'activité gouvernementale.

derne. La fédération canadienne, tout comme les fédérations américaine, australienne et suisse, est née à une époque où primaient les valeurs du laisser-faire et de l'individualisme libéral. C'était l'ère des artisans professionnels, des marchands indépendants et des petites entreprises familiales comptant rarement plus de quinze ou vingt employés. C'était aussi une époque où la société était beaucoup moins urbanisée et complexe qu'elle ne l'est aujourd'hui. Les fonctions de l'Etat dans cette société industrielle naissante étaient relativement simples et bien circonscrites. Dans un tel contexte, il était possible et souhaitable pour un pays à caractère fédéral de partager les compétences de l'Etat entre les deux ordres de gouvernement de manière que chacun puisse exercer les siennes dans une indépendance quasi totale par rapport à l'autre.

Cette possibilité de partager ou de fractionner les fonctions de l'Etat, c'est précisément ce qui rendait possible et ce qui garantissait en même temps le principe si longtemps révéré de l'autonomie provinciale. Que signifie en effet l'autonomie d'une province, sinon la possibilité qu'elle a de se gouverner sans avoir à se soucier constamment de ce que font les autres gouvernements constitués au sein de la fédération?

La notion d'autonomie repose donc sur une certaine conception du fédéralisme qui pouvait convenir à une certaine époque de notre histoire. Mais peut-elle convenir à une époque où l'économie « mixte » a remplacé l'économie de libre entreprise, où les moyens de transport et de communications mettent les parties les plus éloignées du pays en rapport les unes avec les autres de façon quotidienne et où les grandes corporations nationales et multinationales ont remplacé les petites entreprises familiales. Poser la question, c'est y répondre. Dans une telle société, l'Etat, loin de limiter sa présence à quelques domaines bien circonscrits, doit intervenir au contraire dans plusieurs domaines à la fois. L'Etat industriel moderne est composé de plusieurs éléments dont chacun est dépendant de tous les autres. Ce qu'un gouvernement fait dans le domaine de l'enseignement affecte ce qu'il fait en matière d'emploi; et ce qu'il fait en matière d'emploi est déterminant pour ses programmes de bien-être social, lesquels ont à leur tour une influence dans le domaine du logement, et ainsi de suite.

Pour un régime fédéral, cette interdépendance des politiques gouvernementales est lourde de conséquences : elle signifie en effet que les ordres de gouvernement doivent se concerter s'ils veulent agir de façon cohérente. Le gouvernement fédéral est aussi dépendant des provinces que celles-ci le sont de lui. Nier le besoin d'une coopération ou d'une concertation étroite et permanente dans presque tous les grands domaines d'activité gouvernementale, c'est nier la possibilité même d'une action gouvernementale cohérente. Cette exigence de concertation est liée à la nature même de l'Etat moderne.

Ce qu'on ne soulignera jamais trop, cependant, c'est que la diminution de l'autonomie ne signifie pas la fin de la décentralisation. Il semble en effet qu'il y ait essentiellement deux manières de satisfaire l'exigence de concertation dans un système fédéral. La première consiste à confier à l'ordre fédéral l'élaboration des grandes décisions politiques et à laisser aux provinces ou aux Etats le soin d'exécuter ces grandes décisions. Cette approche centraliste est celle que les Etats-Unis et l'Australie semblent avoir adoptée. La seconde approche consiste à confier aux deux ordres de gouvernement le soin d'élaborer *ensemble* les grandes politiques nationales et à laisser le plus possible aux provinces les moyens de les mettre elles-mêmes en oeuvre. C'est la méthode décentralisatrice qui semble convenir à des pays aussi diversifiés que le Canada et la Suisse. La décentralisation conduit alors non plus à une séparation des compétences, comme dans le fédéralisme traditionnel, mais plutôt à une prise en commun des décisions.

En perdant une bonne part de leur autonomie, les provinces ont, comme le gouvernement fédéral, perdu leur capacité de prendre des décisions en toute indépendance dans plusieurs domaines. Cependant, à cause de l'interdépendance des fonctions de l'Etat moderne, elles ont acquis la capacité de participer aux grandes décisions dans des domaines où elles étaient autrefois absentes. Leur capacité d'action, comme celle du gouvernement fédéral, a donc évolué dans plusieurs domaines, non pas tant dans le sens d'une augmentation ou d'une diminution mais plutôt dans le sens d'une plus grande *intégration*: l'un ou l'autre des deux ordres de gouvernement ne peut agir sans la coopération ou l'accord au moins tacite de l'autre ordre.[2] Cette évolution est du reste commune à la plupart des régimes fédéraux modernes et se manifeste même à l'échelle internationale dans les rapports entre Etats souverains. C'est en l'observant que certains analystes en sont venus à percevoir le fédéralisme non plus seulement comme une *structure* de gouvernement, mais aussi comme un *processus*. Daniel Elazar définit la notion de processus fédéral comme suit :

> Parmi les éléments d'un processus fédéral se trouve l'idée de collaboration des parties à l'ensemble fédéral, qui s'exprime à travers une *coopération négociée* sur les problèmes et les programmes — idée qui se fonde sur un engagement de toutes les parties à ouvrir des négociations sur une matière, de manière à tendre vers un consensus ou, à défaut, un accommodement qui préserve l'intégrité fondamentale de tous les partenaires.[3]

De la même façon, Carl Friedrich soutient que :

> Le fédéralisme ne doit pas être vu uniquement comme un modèle ou une image statique, caractérisé par une division, particulière et étroitement fixée, des pouvoirs entre les niveaux gouvernementaux. Le fédéralisme est aussi et peut-être essentiellement le processus... (pour) adopter des politiques communes et prendre des décisions en commun sur des problèmes communs.[4]

Ainsi, le concept d'autonomie dans une fédération moderne ne désigne plus une forme d'indépendance dans des domaines définis par la constitution. Il désigne plutôt une capacité d'agir ou d'influencer le cours des choses.

Si le fédéralisme canadien se distingue de la plupart des autres fédéralismes par une très forte décentralisation et par le nombre élevé d'accords spéciaux visant à satisfaire les particularismes provinciaux, c'est pour une très grande part en raison du Québec. Ceci est particulièrement vrai de la période d'après-guerre. D'autres provinces ont cependant exercé en plusieurs occasions une grande influence et on ne saurait douter qu'il existe aujourd'hui au Canada une volonté assez répandue en faveur d'un régime accordant aux provinces des pouvoirs considérables.

---

2. Cette observation s'applique essentiellement aux grandes initiatives que prennent les gouvernements dans un système fédéral. Il reste que dans certains domaines, chaque niveau de gouvernement conserve une bonne part d'indépendance par rapport à l'autre niveau. Ainsi, par exemple, un gouvernement provincial peut adopter des programmes d'enseignement pour ses écoles primaires ou des politiques en matière de chasse et pêche sans que cela n'ait un impact significatif sur le gouvernement fédéral.

3. Dans : *L'Europe en formation* (revue fédéraliste internationale), no 190-192, janvier-mars 1976, p. 166.

4. Carl J.-Friedrich, *Tendances du fédéralisme en théorie et en pratique*, p. 19.

La Commission Tremblay ne retrouverait pas aujourd'hui la structure fédérale classique qu'elle proposait. Mais elle trouverait un type de fédéralisme unique au monde, dont les composantes essentielles sont nées des négociations entre Ottawa et les provinces, et surtout le Québec. Certes, ces négociations ont souvent révélé les tensions de notre régime fédéral. Mais elles en ont surtout exprimé la créativité.

Fédéralisme, patriotisme et nationalisme

> *« Qu'est-ce que le nationalisme ? C'est un patriotisme qui a perdu sa noblesse et qui est au patriotisme noble et raisonnable, ce que l'idée fixe est à la conviction normale. »*
>
> ALBERT SCHWEITZER

> *« Le patriotisme, c'est l'amour des siens ; la nationalisme, c'est la haine des autres. »*
>
> ROMAIN GARY

L'objet de cette deuxième partie est d'expliquer pourquoi le fédéralisme peut constituer pour le Québec un outil de développement aussi bien dans le domaine économique que dans le domaine social et culturel. Elle vise non pas à expliquer une expérience particulière du fédéralisme — c'est plutôt l'objet de la première partie — mais à montrer tout ce qui, dans la formule fédérale, convient aux intérêts et aux aspirations d'une petite société comme la société québécoise. Car ce n'est pas seulement une expérience particulière de fédéralisme que contestent les péquistes, c'est aussi le principe même du fédéralisme en tant que moyen permettant à des communautés culturelles différentes de s'unir tout en préservant leur diversité. Cette deuxième partie cherche à montrer non seulement que le fédéralisme ne détruit pas les cultures des petites communautés, mais qu'il peut contribuer à les rendre plus vivantes.

Les idées exposées dans les chapitres qui suivent se fondent essentiellement sur une distinction entre nationalisme et patriotisme. Les péquistes donnent souvent à entendre qu'ils ont le monopole du patriotisme. Dans leur esprit, toute personne qui ne souhaite pas la réalisation de la souveraineté-association est, ou bien économiquement « inféodée » au groupe anglophone, ou bien culturellement aliénée. Ils estiment impossible qu'un Québécois « conscient » et fier puisse vouloir autre chose que la souveraineté-association. Selon les députés Charbonneau et Paquette, les oppositions à l'idée d'indépendance proviendraient de ceux qui, dans la société québécoise, sont « les plus faibles, les moins instruits ou ceux qui croient avoir beaucoup à perdre ».[1] Selon un document adopté au 7e congrès national du Parti québécois, les personnes qui proposent des réformes visant à renouveler le fonctionnement de la fédération canadienne ne font que perpétuer le « vocabulaire de l'inanité ou de la tromperie ».[2]

---

1. Charbonneau et Paquette, *L'Option*, p. 113.
2. *D'égal à égal* (manifeste concernant la souveraineté-association), p. 6.

Or, rien n'est plus faux que cette opposition établie par les péquistes entre l'attachement au Canada et la fidélité au Québec, entre fédéralisme canadien et patriotisme québécois. L'insistance avec laquelle on cherche à opposer ces notions constitue une forme de manichéisme politique qui ne peut aboutir qu'à l'intolérance. L'opposition entre fédéralisme et patriotisme est fausse parce que rien dans la notion de fédéralisme ne s'oppose au patriotisme. Bien au contraire, on peut vouloir fédéraliser des patries diverses pour qu'elles puissent mieux, en unissant leurs forces, conserver leur héritage particulier. *Patriotisme* vient du mot *pater*, c'est-à-dire *père*. Le patriotisme, c'est le respect et l'attachement à l'héritage légué par les ancêtres, à ce qu'on appelle justement la *patrie* ou le *patrimoine*. Il n'exige pas l'uniformité entre les formes du passé et de l'avenir, mais plutôt une certaine continuité au plan des valeurs. Il peut très bien s'accommoder des changements technologiques et des modifications dans les genres de vie. Si tel n'était pas le cas, tous ceux qui souhaitent accélérer le développement de l'économie du Québec devraient être accusés d'anti-patriotisme. L'esprit patriotique cherche à retrouver dans le passé les valeurs qui ont inspiré nos ancêtres et qui peuvent aujourd'hui nous aider à affronter les défis du monde moderne. Le patriotisme, c'est donc essentiellement l'attachement à la terre des ancêtres et la fidélité à un ensemble de valeurs.

Fédéralisme et patriotisme appartiennent à des ordres différents de réalité. Le patriotisme est essentiellement une valeur morale. Le fédéralisme est au contraire une méthode ou une technique d'organisation du pouvoir. Comparer les deux en les opposant, c'est confondre l'ordre des fins et l'ordre des moyens. Un exemple pourra illustrer la nécessité de distinguer entre ces deux ordres. Dès les années 1830 existait au Canada français un important courant d'opinion nationaliste dirigé par des personnes telles que Louis-Joseph Papineau, Wolfred Nelson et Ludger Duvernay, qu'on appelait justement les *patriotes*. Les nationalistes d'aujourd'hui se perçoivent comme les héritiers spirituels des patriotes, à qui d'ailleurs ils ne manquent pas de rendre hommage le 22 novembre de chaque année à Saint-Denis sur Richelieu, où eut lieu la première bataille de 1837. Or, au début des années 1850, un groupe important de patriotes, dont Louis-Joseph Papineau, voulait que le Bas-Canada s'intègre aux Etats-Unis en devenant un Etat américain. Ces patriotes étaient donc, à leur manière, des fédéralistes. L'annexion à la fédération américaine était selon eux le meilleur *moyen* d'assurer la survie de la nation canadienne-française. Si l'annexion avait eu lieu, le Québec serait sans doute aujourd'hui une sorte de « Louisiane du Nord » un peu folklorique dont la population représenterait moins de 2.5% de la population américaine (et encore cette estimation repose-t-elle sur l'hypothèse assez peu vraisemblable qu'il n'y aurait pas eu plus d'émigration vers d'autres Etats). Le moyen proposé par ces patriotes pour assurer la survie du peuple canadien-français aurait vraisemblablement abouti à un résultat contraire à l'objectif qu'ils poursuivaient. Personne ne songe pourtant à mettre en doute leur patriotisme. L'ironie dans toute cette affaire, c'est que l'on ne songe jamais à honorer le patriotisme d'autres « patriotes » qui, à l'instar de Louis-Hippolyte LaFontaine et George-Etienne Cartier, se sont opposés aux idées de Papineau et de ses partisans en proposant que les Canadiens français se solidarisent avec les anglophones du Haut-Canada plutôt qu'avec les Américains. Ce sont pourtant des hommes comme LaFontaine et Cartier qui ont permis aux Canadiens français, non seulement de survivre, mais de se développer et de faire fonctionner la démocratie parlementaire dans le régime de l'Acte d'Union, puis dans celui de la Confédération.

Tout comme les partisans de LaFontaine et ceux de Papineau s'opposaient sur les moyens qui pourraient le mieux assurer la survie du peuple canadien-français, les fédéralistes et les péquistes s'opposent aujourd'hui sur les moyens qui peuvent le mieux assurer, non plus la survivance, mais l'épanouissement d'une société française en Amérique du Nord. C'est pourquoi aucun de ces deux groupes ne peut prétendre être plus patriotique que l'autre. Toute interprétation suggérant que les fédéralistes ont moins à coeur que les péquistes l'épanouissement de la société québécoise francophone est un refus de voir la réalité.

CHAPITRE VI

De quoi est fait le monde moderne?

> « *Alors que l'agriculture, qui varie avec la terre et le climat, tend à différencier les paysans des diverses parties du globe, l'industrie, parce qu'elle opère partout de façon très voisine et secrète la solidarité, est un facteur d'uniformisation.* »
>
> Louis Armand
> et Michel Drancourt

Le fédéralisme est un phénomène relativement récent dans l'histoire de l'humanité. Pour en saisir toute l'importance, il faut le situer dans le contexte où il est apparu, c'est-à-dire dans le monde issu de la révolution industrielle. C'est pourquoi il faut d'abord se demander quelles sont les caractéristiques principales de la société industrielle moderne.

Production et consommation de biens et services

Ce qui caractérise l'activité économique en cette deuxième moitié du XXe siècle, c'est qu'elle est dominée par la grande entreprise. Celle-ci produit la plupart des biens que nous consommons et utilisons chaque jour : aliments, appareils ménagers, articles de loisirs, automobiles sont généralement fabriqués par des géants industriels dont le champ d'opération couvre plusieurs pays à la fois et qui, lorsqu'ils planifient leurs activités, adoptent très souvent une perspective planétaire. Cette internationalisation des activités des grandes entreprises répond à une exigence d'ordre économique. En effet, les méthodes de l'industrie moderne exigent la fabrication en série : celle-ci est la condition indispensable d'un prix de revient satisfaisant, c'est-à-dire, en fin de compte, de la rentabilité. Or, pour plusieurs types de biens, une production en série ne saurait être écoulée entièrement dans les limites d'un seul marché national. Plus le marché d'un bien est grand, plus il est facile de rentabiliser sa production. La propension des entreprises à produire en fonction d'un marché mondial répond ainsi à un impératif proprement économique. C'est pourquoi on doit s'attendre à ce que la production de biens industriels s'internationalise toujours davantage.

Les grandes entreprises sont soumises au régime de la concurrence, lequel est généralement défini par des lois antitrust. On trouve des lois semblables dans presque tous les grands pays industrialisés. Elles divergent parfois sur des points secondaires mais s'accordent sur l'essentiel qui est d'obliger les entreprises à une lutte ouverte. C'est ainsi que les règles de concurrence instituées par la Communauté Economique Européenne (CEE) ont été inspirées pour une bonne part par la loi antitrust des Etats-Unis.

Jusqu'à l'époque de la Seconde Guerre mondiale, la concurrence entre les entreprises avait généralement un caractère national. Des barrières tarifaires et non tarifaires protégeaient en effet les entreprises d'un pays donné contre la concurrence étrangère. Au lendemain de la guerre cependant, la plupart des pays industrialisés ont conclu un accord multilatéral visant à favoriser le libre-échange. Cet accord, connu sous le nom de GATT, a permis de réduire de manière radicale la protection dont jouissent les entreprises d'un pays contre la concurrence internationale.

Dans les marchés où la protection douanière est demeurée trop élevée pour que la concurrence mondiale puisse avoir des effets tangibles, les grandes entreprises internationales créent des filiales, ce qui signifie que le marché protégé importe moins les produits de la grande entreprise que ses techniques de production et de gestion. Au point de vue de la concurrence, l'effet à long terme est à peu près le même que si l'on réduisait la protection douanière : que Ford ou General Motors construise une usine en France ou en Italie, Fiat et Renault devront alors atteindre à un degré d'efficacité comparable à celui des compagnies américaines.

L'efficacité d'une grande entreprise dépend essentiellement de l'efficacité de ses techniques de production et de la qualité de sa gestion. Ces deux facteurs tendent à standardiser le fonctionnement de toutes les grandes entreprises. La loi de la concurrence oblige chaque entreprise à réduire le plus possible le coût de revient des produits qu'elle fabrique. Si une technique nouvelle permet de réduire ce coût, les entreprises sont donc obligées de l'adopter : si elles ne le font pas, elles verront leur capacité de concurrence réduite. Quelle grande ou moyenne entreprise pourrait aujourd'hui se passer d'utiliser un ordinateur pour préparer les factures ou pour maintenir ses inventaires à jour? Quel manufacturier omettrait d'utiliser les nouvelles techniques de conservation d'énergie? Même les systèmes de mesure doivent être uniformisés comme en témoigne l'adoption progressive du système métrique par tous les pays industrialisés. C'est ce qui explique que les techniques de production industrielle ne sont pas sensiblement différentes d'un pays à l'autre.

Les grandes entreprises tendent aussi à adopter les mêmes méthodes de gestion et d'organisation. A mesure qu'une entreprise se développe, tout ce qui concerne la fabrication proprement dite devient relativement moins important alors que les activités administratives — conception du produit, marketing, ventes, contrôle de la qualité, etc., prennent plus d'ampleur. C'est pourquoi la proportion des employés de bureaux et des administrateurs dans les entreprises modernes est beaucoup plus élevée qu'elle ne l'était dans le passé. Celle des ouvriers ou des employés «manuels» diminue d'autant. D'où l'importance croissante du rôle des «managers».

Le management est l'art d'organiser, de planifier et de commander en vue de réaliser des objectifs précis. Mais c'est aussi une science ou, à tout le moins, une discipline ayant des méthodes et des techniques qui lui sont propres. A ce titre, elle s'enseigne universellement comme toutes les disciplines. Si le management apparaît à certains comme un phénomène américain, c'est qu'il s'est développé en premier lieu aux Etats-Unis, où le développement industriel est plus avancé que partout ailleurs. A mesure que les économies française, britannique, japonaise, allemande, belge se développent, elles doivent elles aussi se doter d'un nombre grandissant de grandes entreprises faisant appel à la science du management. D'où l'intérêt que portent depuis quelques années les hommes d'affaires de tous les pays industrialisés aux méthodes de gestion américaine. Les programmes du Harvard Business School servent aujourd'hui de modèles pour l'enseignement de l'administration des affaires dans tous les pays à économie de marché.

Comme elles utilisent les mêmes techniques de production et de gestion, il n'est pas étonnant que les grandes entreprises aient à l'égard de leurs employés à peu près les mêmes exigences: ponctualité, rigueur, adaptabilité, souci de perfectionnement, etc. La contrepartie de cette uniformité dans les exigences des employeurs envers leurs employés est une certaine uniformité dans les exigences des employés envers leurs employeurs. C'est ainsi que les syndicats canadiens dans l'industrie de l'automobile sont appelés à réclamer des conditions de travail comparables à celles qui existent dans l'industrie américaine. La productivité de la main-d'oeuvre ayant tendance à s'égaliser entre les entreprises d'un même secteur, il est naturel que les salaires tendent eux aussi à s'égaliser. C'est ce qui explique qu'au point de vue salarial, il existe dans tous les pays industrialisés une «hiérarchie» des industries qui est à peu près identique : au Canada et en Grande-Bretagne aussi bien qu'au Japon ou aux Etats-Unis, les employés de l'industrie automobile gagnent plus que les employés de l'industrie électronique, lesquels gagnent plus que les employés des industries du vêtement et du textile.

Le consommateur dans une société industrielle moderne cherche à obtenir le plus pour son argent : s'il veut acheter un appareil de télévision ou un ameublement de salon, il optera généralement pour celui qui correspond le plus à ses goûts et qui coûte le moins cher, et ce, indépendamment de son origine nationale. Il est d'ailleurs devenu évident que les campagnes pour «l'achat chez nous» ont généralement peu de succès. Si un acheteur s'informe du pays d'origine d'un produit, c'est généralement parce qu'il cherche un gage de qualité — whisky écossais ou vin français.

Plus le niveau de vie s'élève dans les différents pays, plus la demande pour certains biens tend à s'accroître. Les Soviétiques ont adopté depuis quelques années le Pepsi-Cola et les Chinois sont en train de découvrir le Coke. La demande pour les vins français s'est accrue sensiblement au cours des deux dernières décennies, non seulement au Québec mais dans l'ensemble du Canada, et même sur l'ensemble du continent nord-américain. On peut vérifier le même phénomène en ce qui concerne le tourisme, les appareils ménagers, les services de garderie, etc. C'est que la demande pour ces biens et services est liée à l'industrialisation et à l'urbanisation et transcende les différences culturelles ou ethniques.

Les moyens de communication

Un autre aspect caractéristique des sociétés modernes est la place importante qu'y occupent les moyens de communication. Des différentes formes de communication, la plus importante dans les sociétés modernes est sans doute la publicité. C'est par elle en effet que se fait la communication entre producteurs et consommateurs.

Pour que les grandes entreprises puissent écouler leur production massive, il faut qu'il y ait consommation massive. Le rôle de la publicité est d'informer les consommateurs de l'existence d'un produit et d'aiguiser leur appétit afin qu'ils aient constamment le désir d'acquérir les biens et les services que produit l'industrie.

Les messages publicitaires dont l'homme de la société industrielle est constamment bombardé sont conçus dans tous les pays selon les mêmes règles. Que ce soit dans la publicité américaine, allemande, espagnole ou italienne, l'acheteur ou l'utilisateur du produit qu'on veut promouvoir est toujours un personnage séduisant auquel il est facile de s'identifier. Ce personnage a invariablement un air enchanté; le message cherche à établir un lien entre son enchantement et l'utilisation du produit. Le texte qui accompagne l'image publicitaire répond lui aussi à des règles universelles.Il s'agit avant tout d'être bref, car chaque centimètre carré et chaque seconde représentent un coût important. Mais il s'agit aussi de trouver la formule qui frappera ou qui séduira l'esprit du futur client. La règle du slogan publicitaire, c'est donc qu'il soit à la fois court, évocateur, persuasif. « Lui, y connaît ça », « Fly now, pay later », « Dubo... Dubon... Dubonnet » : autant d'expressions qui démontrent que la publicité écrite constitue un genre littéraire, un art, communs à toutes les sociétés industrielles. Notons enfin que les images de marque des produits ne changent guère d'un pays à l'autre.

La publicité n'est cependant qu'une des deux branches de cette gigantesque industrie que constituent les communications de masse, celle qu'on pourrait appeler la branche commerciale. Il en existe une autre tout aussi importante qui, elle, est orientée vers l'information et le divertissement. Or, là encore, nous retrouvons une tendance à la standardisation et à l'internationalisation. Qu'il s'agisse en effet d'émissions de télévision, de productions cinématographiques, de disques, de cassettes, le produit est généralement distribué à l'échelle de l'ensemble des pays industrialisés, quand ce n'est pas à l'échelle de la planète. Les séries télévisées telles que *Chapeau melon et bottes de cuir* ou *Kojak* sont connues non seulement en Grande-Bretagne et aux Etats-Unis, où elles ont été produites, mais à peu près partout dans le monde occidental. Les films de Claude Lelouch et de Fellini sont aussi bien connus en Amérique du Nord qu'en Europe et les westerns américains suscitent autant d'intérêt auprès du public français ou allemand qu'auprès du public américain ou canadien, à tel point d'ailleurs que l'industrie cinématographique italienne produit maintenant ses propres westerns. Les vedettes du rock britannique vendent leurs disques aux Etats-Unis et vice versa. Robert Charlebois produit des microsillons en anglais. Les plus importants personnages de dessins animés et de bandes dessinées sont les mêmes partout : la panthère rose, Mickey Mouse, Donald Duck, Tintin et Milou, Astérix et Obélix sont connus sur les deux rives de l'Atlantique. La diffusion de tous ces personnages par le cinéma, la télévision et les bandes dessinées crée un univers mental qui transcende les frontières nationales. Tous les enfants de l'Occident partagent les mêmes héros.

Ce qui est vrai dans l'ordre du divertissement est encore plus vrai dans l'ordre de l'information. Non seulement les habitants des pays industrialisés sont-ils informés des mêmes événements, mais ils vivent au même moment les mêmes émotions en suivant un même événement. C'est ce qui s'est passé lors de la XXIᵉ Olympiade qui eut lieu à Montréal en 1976, lors de l'intronisation de Jean-Paul Iᵉʳ et de Jean-Paul II, et lors de la première marche sur la lune par des cosmonautes américains. Marshall McLuhan affirme que la planète est devenue un grand « village global », puisque, tout comme les habitants d'un village connaissent à peu près tout ce qui se passe dans les limites de leur village, nous participons presque instantanément à tous les événements importants qui se déroulent sur la planète.

L'individu et la société

Ainsi la révolution industrielle, en transformant les techniques de production, a pour effet de transformer la vie tout entière, aussi bien dans l'ordre économique et social que dans l'ordre politique et culturel. Selon le mot d'André Siegfried, « des méthodes de production nouvelles appellent une morale et une esthétique nouvelle ».[1] Car on ne peut pas établir de cloisonnements entre les produits et les idées ou entre les techniques et la culture.

La société industrielle impose son propre style de vie partout où elle passe. Elle affranchit les hommes de certaines contraintes naturelles liées à la géographie et au climat, mais elle les rend plus dépendants les uns des autres. Dans la société pré-industrielle où la

---

1. André Siegfried, *Aspects du XXᵉ siècle*, Hachette, p. 112.

division du travail a un caractère primaire, l'individu doit compter sur ses propres moyens pour satisfaire la plupart de ses besoins : il prépare lui-même sa nourriture, construit lui-même sa maison, se trouve lui-même du travail. L'Etat ne joue qu'un rôle limité dans sa vie. Dans la société industrielle existe au contraire une division du travail qui fait que l'individu est libéré de la plupart de ces tâches : il peut manger au restaurant ou acheter des aliments préparés qu'il lui suffira de faire réchauffer, il peut louer un logement ou acheter une maison où tout a été préparé pour lui assurer le plus grand confort possible et, s'il est en chômage, il peut s'adresser à l'Etat soit pour obtenir un emploi, soit pour obtenir la formation nécessaire à un emploi, ou encore une prestation d'assurance-chômage. Les responsabilités liées à la satisfaction des besoins matériels cessent donc d'être purement individuelles, comme c'était le cas autrefois, et deviennent de plus en plus collectives. Le résultat en est que l'homme moderne, tout en étant libéré de nombreuses tâches qui incombaient autrefois à l'individu, est beaucoup plus en dépendance de la société. Le destin de l'individu est aujourd'hui beaucoup plus lié à celui de la société dans laquelle il vit.

La prise en charge par la société des responsabilités autrefois laissées aux individus se manifeste par un accroissement du rôle de l'Etat. C'est lui qui régira le fonctionnement des marchés agricoles, qui fixera les règles pour la construction des maisons, qui fournira les services d'éducation et de formation de la main-d'oeuvre, qui cherchera à créer des conditions de plein emploi, qui instituera un régime de santé publique et un système de sécurité sociale, etc.

A mesure que l'activité économique se développe et « s'internationalise », à mesure que les moyens de communication se multiplient, la société à laquelle le destin de chaque individu est lié tend à s'élargir. Notre vie quotidienne n'évolue plus seulement au gré de ce qui se passe dans notre province ou dans notre pays, mais de ce qui se passe partout dans le monde. Quelques exemples suffisent à le démontrer. Dans un pays comme le Canada, il est aujourd'hui possible, pendant les longs hivers, de manger des fruits et des légumes frais chaque jour, de vivre dans des immeubles bien chauffés et de passer quelques semaines de vacances sous les tropiques. Mais ces possibilités, limitées à quelques bien-nantis il y a à peine un demi-siècle, nous rendent dépendants, et donc solidaires, de ce qui se passe partout sur la planète. Notre approvisionnement en fruits et légumes dépend du temps qu'il fait dans le sud des Etats-

Unis et au Mexique; notre capacité de chauffer nos maisons à prix raisonnable, de la conjoncture politique au Moyen-Orient, et l'agrément de nos vacances, des négociations collectives dans l'industrie du transport et de l'hôtellerie aux Caraïbes. Le prix canadien du blé, et donc celui du pain, dépend du blé qu'achètent chez nous la Chine et l'URSS, lesquelles dépendent des rendements agricoles dans ces pays. La croissance de l'industrie manufacturière canadienne au cours des quinze prochaines années dépend des négociations actuelles dans le cadre du GATT.

Les solidarités issues du développement d'une économie internationale sont renforcées par les moyens de communication. Ceux-ci font plus que nous informer: ils affectent notre sensibilité. Nous sommes aujourd'hui beaucoup plus préoccupés par le sort des pays du Tiers monde que dans le passé, parce qu'il se passe rarement une semaine où nous n'ayons pas l'occasion de « voir » les problèmes de la faim et de la pauvreté dans ces pays. Il n'est plus possible d'être indifférent au sort des habitants des pays du Sahel. Il en va de même pour ce qui est des victimes de la guerre, des révolutions ou des migrations forcées. Comment ne pas être ému par ce qui arrive aux Cambodgiens, aux habitants de l'ancien Vietnam-Sud, aux Irlandais du Nord ou aux Ougandais?

Cette internationalisation de la vie économique et des communications se manifeste dans l'ordre politique par une multiplication des institutions et des traités internationaux. Il n'est plus guère de domaine d'activité qui ne fasse l'objet d'accords internationaux. Même la façon dont les Etats respectent les droits de l'homme fait aujourd'hui l'objet d'ententes ou de négociations internationales. Cette intensification des rapports internationaux entre les Etats s'accentue à mesure que nous avançons dans l'ère de la civilisation moderne.

Uniformisation des genres de vie, création de nouveaux liens de dépendance et de solidarité, telles semblent être les deux principales conséquences du processus de modernisation des sociétés. Reste à déterminer ce que cela implique pour les « petites » sociétés.

CHAPITRE VII

De quoi est faite la culture québécoise ?

> *« Les produits sont porteurs d'idées, les méthodes profilent les horizons, les techniques sont les ouvrières de la culture. Ces idées, ces horizons, cette culture de la société industrielle ne sont pas exclusivement américains mais paraissent l'être. »*
>
> LOUIS ARMAND
> et MICHEL DRANCOURT

> *« L'intelligence s'adapte vite, la sensibilité lentement. De là vient la crise la plus profonde de notre siècle. A l'âge de l'année-lumière et de l'avion à réaction, nous conservons souvent la sensibilité de la diligence et du village. »*
>
> ANDRE SIEGFRIED

Répondre à la question posée en titre de ce chapitre constitue une entreprise difficile et hasardeuse. Difficile parce que la culture est une réalité complexe et changeante. Hasardeuse parce que la façon dont péquistes et fédéralistes conçoivent la culture québécoise n'est pas toujours la même.Heureusement, un document publié au printemps 1978 par le gouvernement péquiste pourra nous faciliter la tâche. Il s'agit du livre blanc intitulé *La Politique québécoise du développement culturel,* signé par le ministre d'Etat au Développement culturel, Monsieur Camille Laurin. Ce livre blanc tente de décrire les principaux éléments de la culture québécoise. Il s'agira donc d'abord de le résumer, puis d'indiquer ensuite en quoi il s'accorde ou ne s'accorde pas avec les conceptions qui sous-tendent un engagement fédéraliste.

La conception péquiste de la culture québécoise

L'objet du livre blanc est de « discerner ce qui pourrait être un consensus des Québécois quant à certains traits majeurs de leur être propre et quant aux grandes lignes de leur avenir collectif ». (p. 10) Ses auteurs notent d'abord que les cultures sont « des ensembles plus ou moins vastes de façons de parler, de penser, de vivre et, en corollaire, des langages, des croyances, des institutions ». (p. 11) C'est en ce sens, disent-ils, qu'on parle, par exemple, de culture française, de culture anglaise ou de culture américaine. Dans un autre chapitre, ils précisent leur pensée en notant qu'une culture est « un ensemble de manières de vivre qui répondent aux principaux besoins d'une collectivité ». Chaque culture se distingue « par une mentalité, un "climat" qu'on ne retrouve jamais tels quels ailleurs », elle « se reconnaît à des traits originaux ». (p. 43) La culture ainsi comprise appellerait, selon les auteurs, des politiques de développement culturel : les Etats seraient tenus d'adopter de telles politiques, afin de « disposer des filtres... devant le flot international de la culture de masse (et) de protéger les sources de fécondité et d'expression de leurs propres cultures ». (p. 13)

Voulant rappeler les données de base de la culture québécoise « sur lesquelles l'assentiment sera facilement acquis », le livre blanc mentionne qu'un visiteur étranger ne manquerait pas d'observer que :

> Les Québécois continuent de puiser à des sources qui coulent généreusement d'ailleurs : ils mangent, s'habillent, habitent, fredonnent, content, travaillent et prient souvent selon des modes qu'ils n'ont pas inventés, mais dans lesquels ils puisent sans complexe, en les adaptant ou même en se les appropriant. (p. 48-49)

Mais, d'un autre côté, note encore le livre blanc, « il suffit d'écouter parler ces Québécois ou de converser avec eux pour relever des préoccupations, des aspirations, des espoirs, des inquiétudes et des tourments qui ont peu d'équivalent outre-frontières ». C'est que « ...l'originalité du Québec est "en dedans". (p. 49) Il s'agirait donc d'une « mentalité » particulière. Pour la capter, « il faut aller au-delà des signes, saisir des allusions, écouter des chansons et des poèmes... ». Le problème de la culture au Québec viendrait de ce que « cette mentalité n'a pas vraiment réussi à s'inscrire dans un paysage culturel aux traits correspondants ». L'âme des Québécois serait « comme une âme en exil qui compose avec les objets et les institutions qu'elle n'a pas produits ». (p. 50)

Pour comprendre « ce paradoxe d'une culture souvent faite d'emprunts et pourtant originale dans son intériorité », il faut la restituer « dans la dynamique selon laquelle cette culture s'est développée ». (p. 50) Après la Conquête, les anciens Canadiens « ont dû se replier sur eux-mêmes », ils « se sont agrippés à leur sol, à leur langue, à leur religion, à leurs modes de vie quotidienne ». (p. 51) Comment expliquer ce repliement ? A ce sujet, le livre blanc affirme :

> On peut se replier par choix. On peut aussi se replier parce qu'on n'a pas le choix de faire autrement. Réflexe de défense par excellence, le repli est souvent la seule chance de survivance d'un groupe, en attendant patiemment des jours meilleurs.

Par ailleurs, la conséquence de ce repliement a été que les Québécois ont « été pratiquement exclus des grandes gestations qui ont donné naissance à l'Amérique du Nord ». (p. 53) Il en est résulté, selon le livre blanc, deux formes de sous-développement. La première serait d'ordre économique et se caractériserait par le fait que la « collectivité n'a pas les moyens de se prendre en main et de développer ses potentialités dans la ligne de ses besoins et de ses aspirations ». (p. 53) La seconde serait culturelle et se caractériserait par le fait que :

> Une collectivité n'a pas la maîtrise de ses propres outils d'expression, ne dispose pas des pouvoirs qui lui permettraient d'inscrire son originalité propre dans le paysage et dans les objets qui servent à sa vie et est plus ou moins contrainte de consommer les produits culturels venus d'ailleurs, au détriment de ses propres produits ainsi relégués au folklore familial ou villageois. (p. 53)

Ce sous-développement constitue, au dire du livre blanc, une forme de colonialisme, parce qu'il plonge l'ancienne collectivité paysanne « dans un monde dont les grands instruments de production, de communication et de diffusion viennent d'ailleurs », créant ainsi un divorce entre son « intériorité » et son environnement extérieur :

> Selon la logique du sous-développement et du colonialisme, la collectivité semble obligée de multiplier les emprunts de toutes sortes. Du coup, elle est encore condamnée au même divorce fondamental,

celui d'une intériorité qui doit se taire au profit de l'expression des autres. L'emprise extérieure entraîne vite l'étouffement. (p. 54)

Ce sous-développement n'empêche pas certains groupes privilégiés de s'exprimer de manière originale. « Mais, ajoute le livre blanc, ce sont là des élites. La masse de la population, pour sa part, subit passivement la sujétion comme une fatalité insurmontable. » (p. 54) Le livre blanc en vient ainsi à conclure que « la situation de la culture de tradition française au Québec apparaît dramatique ». Cette situation conduirait plusieurs Québécois à vivre dans une « espèce de vide et de désarroi ». (p. 54-55)

Une bonne partie des chapitres qui suivent sont consacrés à décrire les manifestations du « sous-développement culturel » des Québécois dans des domaines tels que l'habitat, la santé, le loisir, le travail, les communications, etc. On apprend, par exemple, que « le développement anarchique et destructeur des agglomérations urbaines, la prolifération de résidences secondaires dans les régions de loisir et de détente reflètent une confusion des valeurs, un engouement pour des modèles d'établissements et de styles étrangers ». (p. 159) Le fait qu'il y ait au Québec une prédilection pour les chalets de campagne s'expliquerait par le fait que « dans leurs difficultés à s'approprier la ville, les Québécois cherchent peut-être une compensation dans un retour épisodique et nostalgique au milieu rural de leurs ancêtres ». (p. 164) Le livre blanc déplore le fait qu'en ce qui a trait à l'aménagement des espaces, « l'utilisateur n'a d'autre choix que d'accepter les matériaux qui se trouvent sur le marché ». (p. 165)

En matière d'habitat urbain, la clientèle québécoise est « culturellement déracinée, désorientée quant à la perception de ses besoins réels et en quête d'une valorisation sociale ». (p. 165) C'est ainsi qu'on a pu lui faire accepter des maisons de type « split-level », « bungalow », « colonial espagnol », « colonial Nouvelle-Angleterre », lesquelles constituent des « emprunts (qui) n'ont pas été assimilés et intégrés à notre contexte socio-culturel, mais adaptés comme des symboles ostentatoires propres à valoriser le statut du consommateur ». Quant à la conception architecturale des grands édifices et des grands ensembles, elle a « mis l'accent sur des formes primaires, simples, glorifiant le cubisme », contribuant ainsi à jeter« le discrédit sur l'architecture du passé, aux formes plus complexes ». (p. 166)

Dans le domaine de la santé, le livre blanc affirme que beaucoup de Québécois ont un régime alimentaire mal équilibré conduisant à l'obésité, qu'ils fument trop, qu'ils consomment trop d'alcool et de médicaments. Il trouve « hallucinant » que les Québécois, comme d'ailleurs tous les habitants des pays développés, « en soient rendus à ce point dans un monde où deux personnes sur trois connaissent la faim ». (p. 179) Tout en proposant que des mesures d'éducation soient adoptées pour corriger cette situation, il soutient que ces mesures n'auront qu'un « caractère partiel » parce que les Québécois sont soumis à « une publicité abusive » leur imposant la « consommation d'aliments inappropriés », parce que le loisir est « souvent si abrutissant », et parce que les travailleurs sont « dans l'obligation d'accélérer la cadence de production ou de détenir deux emplois pour répondre aux besoins économiques de leur famille ». (p. 183)

Dans l'ordre des loisirs, les entreprises commerciales exploiteraient au Québec « une clientèle mal ajustée à son nouveau mode de vie et que la diminution des heures de travail vouait à l'ennui ». (p. 192) C'est ainsi que « déjà exploités dans le monde du travail », les Québécois seraient devenus « une proie facile... des sociétés commerciales souvent étrangères, (qui) ont rapidement modelé les pratiques de loisir ». (p. 192)

Dans le domaine du travail, le livre blanc affirme qu'il subsiste encore dans les usines « un grand nombre de tâches parcellaires, dénuées de sens pour ceux qui les accomplissent » et propose qu'on remédie à cette situation en s'inspirant « de certaines expériences tentées depuis peu dans quelques pays industrialisés ». (p. 216) Il propose également de considérer le problème du chômage comme un problème attribuable à un « excédent de la force de travail » plutôt qu'à une insuffisance d'emplois, ce qui présuppose que ce ne sont pas les emplois qui manquent mais les travailleurs qui sont trop nombreux. La solution au chômage consisterait alors à « réduire les heures de travail, assouplir les règles concernant l'âge de la retraite, allonger les périodes de vacances ». (p. 219)

Dans le domaine de l'information, on soutient que les journaux jugent « trop souvent... mal de l'importance des événements ». De plus, leur distribution « dans les régions éloignées ou dans les quartiers peuplés de gens à faible revenus est fréquemment négligée ». (p.252) C'est pourquoi, beaucoup de gens s'attendent à ce que l'Etat « réglemente les conditions d'accès à la profession de journalistes, l'exercice de cette profession, la tenue des journaux, leur rigueur, leur véracité ». (p.252) La chose paraît normale aux auteurs du livre blanc car, selon eux, les médias d'information ont été « trop souvent dans le passé sous l'empire des partis, et même des gouvernements » et « risquent aujourd'hui d'être au service d'intérêts et de factions qui n'en menacent pas moins la liberté d'information ». (p. 260) En même temps qu'il déplore la piètre qualité des entreprises de presse qui se bornent pour la plupart « à rapporter des déclarations officielles ou des potins sur la vie publique plutôt que des analyses de situations », le livre blanc suggère que ces entreprises ne cherchent pas à améliorer leur production parce que leur clientèle est composée de « citoyens rendus irresponsables par leurs conditions de vie ». Ces citoyens ne sont « guère enclins à chercher une information qui, après tout, leur serait inutile ». (p. 255-256) A cet égard, le livre blanc demande s'il ne conviendrait pas de « s'interroger sur la vitalité de la démocratie elle-même » ? Car, conclut-il, « on ne protège pas dans les lois une liberté déjà morte dans la vie ». (p. 256)

Culture québécoise et civilisation moderne

> « Le fascisme est pessimiste...
> il croit que la grande masse
> des hommes restera toujours
> assez méprisable, qu'une élite
> seule mérite quelque considé-
> ration, que le reste est formé
> de brutes qu'il convient d'encadrer
> et de diriger. Non seulement
> pessimiste, donc, mais
> aristocratique... »
>
> MAURICE DUVERGER

> « Ne pas comprendre que la liberté
> est une valeur par elle-même, dont
> l'exercice comporte nécessairement
> un bon et un mauvais pôle, c'est
> démontrer que l'on est décidément
> réfractaire à la culture
> démocratique. »
>
> JEAN-FRANÇOIS REVEL

Ce qui frappe de prime abord dans le livre blanc, c'est son profond pessimisme concernant les effets de la modernisation sur la société québécoise. Il présente du citoyen québécois une image à ce point misérable qu'on se demande s'il pourra jamais se réhabiliter. Le concept de « sous-développement culturel » qui sous-tend l'analyse des auteurs conduit en effet à percevoir le Québécois comme un être colonisé, aliéné, exploité, un être pour qui la liberté est « déjà morte ». C'est au nom de ce diagnostic sévère que le livre blanc en vient à contester non seulement la valeur de certaines institutions sociales, telles que les médias d'information, les syndicats et les entreprises commerciales, mais aussi la valeur du régime politique au sein duquel le Parti québécois a pourtant réussi à atteindre le pouvoir. Comment, en effet, peut-on croire à la légitimité d'un gouvernement provincial si on met en doute « la vitalité de la démocratie elle-même » ? Sans jamais l'admettre, et malgré ses nombreux rappels voulant qu'en ces matières l'Etat doive faire preuve de prudence, le livre blanc ouvre la voie à une pénétration de l'Etat dans presque tous les domaines de la vie individuelle. L'impression d'ensemble qui se dégage du livre, c'est que le Québec est une société ayant atteint un tel degré de décrépitude que seul un Etat tout-puissant pourrait encore le sauver, à la condition toutefois qu'on lui donne toute liberté d'action, bref qu'on fasse fi des règles qui, dans tous les pays démocratiques, servent à contenir les pouvoirs de l'Etat. Si on va jusqu'à suggérer que même « la tenue des journaux, leur rigueur, leur véracité » doivent être réglementées, ce ne peut être en effet que parce que l'on se méfie de la libre expression des idées et que l'on croit les agents de l'Etat mieux éclairés que des « citoyens rendus irresponsables par leurs conditions de vie ». Ces agents de l'Etat se recruteraient parmi les « élites » qui, on ne sait trop comment ou pourquoi, ont été immunisées contre les effets de la « colonisation » culturelle ayant contaminé « la masse de la population ».

Le livre blanc n'explique pas comment « l'élite » actuellement au pouvoir a pu être élue de façon démocratique par une « masse » aussi aliénée. En effet, si la victoire du 15 novembre 1976 n'est pas attribuable à la volonté populaire qui s'est exprimée librement et démocratiquement, à quoi est-elle attribuable ? Bien qu'il ne parle pas du référendum comme tel, le livre blanc soulève d'importantes questions à son sujet. S'il convient en effet de « s'interroger sur la vitalité de la démocratie elle-même », ne devrait-on pas se demander si on doit permettre à des « citoyens irresponsables » de déterminer l'avenir du Québec ? Si la liberté est morte en eux, comment pourraient-ils aspirer à « se libérer » ? Autant de questions que le livre blanc ne discute pas, mais qui sont pourtant implicites dans l'analyse qu'il propose de la société québécoise.

L'espèce de paternalisme autoritaire qu'on retrouve dans les différents chapitres du livre est enraciné dans la notion même de « sous-développement culturel » que les auteurs apparentent à la notion de « colonialisme ». Celui-ci se manifesterait par le fait que « la collectivité semble obligée de multiplier les emprunts de toutes sortes », lesquels feraient violence à une « intériorité qui doit se taire au profit des autres ». C'est pour protéger cette intériorité où résident « les sources de fécondité et d'expression » d'une culture qu'il faudrait « disposer des filtres ». Ceux-ci serviraient à filtrer « le flot international de la culture de masse ».[1] Ce que la notion de sous-développement traduit, c'est donc une opposition entre deux cultures, l'une qui serait héritée de la société paysanne des siècles passés et qui serait aujourd'hui tout « intériorisée », et une autre qui est un « monde dont les grands instruments de production, de communication et de diffusion viennent d'ailleurs ». Mais ce monde n'est-il pas justement ce que l'on appelle communément le monde moderne ? Et les manifestations de « sous-développement » que décrit le livre blanc ne sont-elles pas finalement communes à toutes les sociétés industrialisées ? Ne convient-il pas de voir d'abord dans les maisons de type « bungalow » et « split-level » des maisons propres à une société industrielle plutôt qu'un produit culturel américain ? Après tout, les styles de maisons modernes que l'on retrouve dans les pays industrialisés de l'Europe ne diffèrent pas sensiblement d'un pays à l'autre, pas plus en tout cas que les styles adoptés au Québec ne diffèrent de ceux en vogue dans d'autres régions du Canada ou aux Etats-Unis. N'en va-t-il pas de même pour la plupart des questions traitées dans le livre blanc ? Les problèmes de santé qu'il décrit ne semblent guère différents de ceux qu'on retrouve dans d'autres sociétés. La plupart des pays in-

---

1. Jules-Paul Tardivel (1851-1905), qui fut un précurseur du mouvement indépendantiste, affirmait que le Québec devait « se gouverner toujours selon les lois de l'Eglise », afin de constituer « une digue contre le flot des erreurs modernes ». (Cité dans: Justin Fèvre, *Vie et travaux de J.-P. Tardivel, fondateur du journal* La Vérité à Québec, Paris, A. Savaete, 1906, p. 86.)

dustrialisés de l'Occident ont des programmes d'anti-tabagisme, d'anti-alcoolisme et de sécurité routière. Et la pauvreté des journaux, que déplore le livre blanc, non seulement n'est pas aussi généralisée qu'on voudrait le laisser croire, mais n'est pas un phénomène propre au Québec. Enfin si les travailleurs québécois sont exploités, ils ne le sont pas plus ou pas moins que ceux du reste du Canada et des autres pays industriels. Même « l'espèce de vide et de désarroi » que les auteurs du livre blanc perçoivent chez plusieurs Québécois est, en réalité, un problème qu'on peut retrouver dans tous les pays industrialisés. Le phénomène de la multiplication des sectes religieuses qui en est un des symptômes les plus visibles est d'ailleurs plus développé dans d'autres régions du monde industrialisé qu'il ne l'est au Québec.

Ce que le livre blanc dénonce sous le vocable de « sous-développement culturel », c'est donc un ensemble de problèmes réels, mais communs à toutes les sociétés industrielles. Les Japonais, les Américains, les Français, les Allemands, les Espagnols, les Italiens, sont tous, eux aussi, « sous-développés », puisque tous ont eu à adopter des « produits culturels venus d'ailleurs ». Dans tous les pays qui ont fait la révolution industrielle, il y a eu, pendant une certaine période, des ajustements, des adaptations, des changements de mentalité. Il y a, comme le suggèrent Louis Armand et Michel Drancourt, « une culture de la société industrielle » dont tout pays doit faire l'apprentissage durant les étapes de son développement industriel. En ce sens, tous les pays modernes sont « colonisés » à des degrés divers, selon qu'ils sont plus ou moins avancés sur la voie de l'industrialisation. Et toutes les cultures sont appelées à faire des « emprunts » pour se développer.

Le reproche que l'on peut donc adresser aux auteurs du livre blanc, c'est d'avoir donné un relief exagéré à certains phénomènes, en les isolant de leur contexte de civilisation, c'est-à-dire en omettant de les associer à un phénomène plus large et plus universel, celui du processus de modernisation. Personne ne songerait à contester que certains des phénomènes décrits par le livre blanc sont réels. Quoi de plus légitime en effet que de rappeler qu'il se publie beaucoup de revues ou de journaux de piètre qualité, que le paysage urbain est souvent peu agréable à regarder, que certaines habitudes alimentaires sont nocives et que le travail à la chaîne est ennuyeux? Mais ce qui importe, c'est de considérer ces problèmes dans un contexte global qui ne fait pas perdre de vue les bienfaits de l'industrialisation. Après tout, c'est le travail à la chaîne qui, en haussant la productivité des ouvriers, leur permet d'offrir à leur fils le choix de l'université. Et c'est parce qu'il existe une production de masse, c'est-à-dire un « marché » des matériaux de construction, qu'on arrive à construire des maisons à des prix accessibles pour ceux que le livre blanc appelle « la masse ». Bien sûr, des maisons construites en série ne sont pas aussi belles que celles que possèdent certains membres de « l'élite » éclairée du Québec. Mais elles conviennent à beaucoup de gens qui, si la production en série n'existait pas, seraient obligés de vivre dans des logements étroits. Pour ce qui est des problèmes d'alcoolisme, d'obésité et de tabagisme, il conviendrait de rappeler qu'ils existent dans toutes les catégories sociales, aussi bien chez les « élites » professionnelle, politique ou intellectuelle que chez les ouvriers d'usine. Quant aux médias d'information, le livre blanc aurait pu au moins reconnaître qu'ils ne sont pas tous de piètre qualité et que certains journaux ont même une « tenue » fort respectable.[2]

Vus dans la perspective du processus de modernisation, les problèmes que décrit le livre blanc ne cessent pas d'être réels, mais la situation de « la culture de tradition française au Québec » paraît, elle, moins « dramatique » qu'on voudrait nous le faire croire. Et, par conséquent, les interventions étatiques proposées pour redresser la situation paraissent moins urgentes. Au fond, les problèmes que décrit le livre blanc ne sont pas tant des problèmes de culture que des problèmes de civilisation, ceux de la civilisation moderne issue de la révolution industrielle. Certaines recommandations du livre blanc sont d'ailleurs formulées dans un langage qui montre bien qu'il ne s'agit pas de problèmes culturels propres au Québec. On y propose par exemple « de créer une civilisation urbaine originale » ; (p. 171) « de modifier nos façons de manger, de dormir, de travailler, de nous divertir, de concevoir l'existence » ; (p. 172) de faire en sorte que « la famille, le quartier, la ville, le village » redeviennent « des lieux de rassemblement et de contact entre les personnes », et qu'on fasse de même pour « tous ces autres endroits (hôpitaux, centres d'accueil, maisons de retraite, etc.) où

---

2. Il est pour le moins étonnant que les propos du livre blanc sur la presse québécoise aient suscité si peu de réactions de la part des journalistes. C'est cette absence presque totale de réactions qui devrait inquiéter ceux qui s'intéressent à la vitalité de la démocratie au Québec.

des innovations techniques ont isolé les individus et établi des cloisonnements rigides entre les groupes d'appartenance » ; (p. 191) de poursuivre « en collaboration avec les entreprises et les syndicats, une progressive transformation des conditions de travail » ; (p. 212) de « resituer dans une plus juste perspective les rapports entre l'homme, le travail et la production ». (p. 216)

Ce que les auteurs refusent d'admettre par ailleurs, c'est que tous ces projets appellent une action non pas tant au niveau provincial, ni même au niveau national, mais au niveau de la civilisation tout entière. Loin de conclure, comme plusieurs auteurs européens l'ont déjà fait, que les problèmes décrits transcendent les frontières nationales et appellent des solutions et des institutions supranationales, les auteurs du livre blanc affirment au contraire que, pour les résoudre de façon satisfaisante, il faut « que la province devienne un pays ». (p. 472) A leurs yeux, le fédéralisme n'est rien d'autre qu'un obstacle « entravant sans cesse les visées de cohérence ». (p. 471)

Au fond, les auteurs du livre blanc n'acceptent pas que l'intégration de la société québécoise à la civilisation moderne de l'Occident doive obliger celle-ci à adopter des genres de vie qui ressemblent à ceux des autres sociétés industrielles modernes. Ils veulent construire une civilisation « originale » qui puisse contraster avec « le flot international de la culture de masse », c'est-à-dire avec la civilisation industrielle moderne. Ce thème d'une « civilisation originale » n'est pas nouveau dans la pensée nationaliste. Le plaidoyer du livre blanc, bien qu'il utilise le langage plus récent des sciences sociales, conserve en effet le même ton que les plaidoyers du nationalisme traditionnel. L'abbé Groulx n'a-t-il pas plaidé lui aussi toute sa vie pour une civilisation originale? « Créer une civilisation c'est, pour une nation, le suprême accomplissement », écrivait-il durant les dernières années de sa longue carrière.[3] Les mots changent mais la pensée reste la même.

_____

3. Lionel Groulx, *Constantes de vie,* Montréal, Fides, 1967, p. 78.

Du colonialisme... au pluralisme

> « Mais surtout, essayez à tout prix
> de poser le problème culturel
> comme indépendant au départ du
> problème politique. Sinon, vous
> aurez le risque absolument
> terrible que les organismes
> politiques deviennent plus ou
> moins déterminants dans les
> problèmes culturels, et vous savez
> que cela signifie le désastre... Un
> Canadien français d'il y a
> cinquante ans n'a rien à voir avec
> le Canadien français
> d'aujourd'hui. »
>
> ANDRE MALRAUX[4]

Quoi qu'on puisse penser du livre blanc sur le développement culturel, l'idée qu'il existe un « divorce fondamental » entre ce qu'on nomme l'« intériorité » québécoise et le monde extérieur comporte une part de vérité, qu'il importe de reconstituer. On peut en effet reconnaître que le processus de modernisation décrit au chapitre précédent exige une transformation parfois difficile des mentalités, et donc de la culture, sans pour autant souscrire à la théorie du colonialisme culturel. Il semble d'autant plus raisonnable de reconnaître cette réalité que l'on voit partout dans le monde des petites sociétés qui sont entraînées dans le courant de la modernisation et qui, bien que n'ayant pas le statut d'Etat indépendant, affirment avec vigueur, et parfois avec violence, leur identité particulière et leur volonté de la conserver. Il s'agit d'un phénomène que l'on peut observer dans tous les pays qui se sont engagés sur la voie de la modernisation, comme le révèlent les conflits opposant catholiques et protestants en Irlande du Nord, Wallons et Flamands en Belgique, Grecs et Turcs à Chypre, Noirs et Blancs aux Etats-Unis, Jurassiens et Bernois en Suisse. Même les pays généralement considérés comme les plus homogènes au point de vue culturel (la Grande-Bretagne, la France, l'Espagne) sont aux prises avec les problèmes que soulève la volonté des Ecossais, des Bretons, des Catalans, des

---

4. Voir les propos de Malraux sur le Québec publiés par *Le Devoir* et reproduits dans une annexe à cet ouvrage.

Corses, des Basques, etc., de se doter d'une certaine autonomie politique. Certains experts ont estimé que près de la moitié des pays indépendants ont connu au cours des dernières années des difficultés à « consonnance ethnique ».[5] Le désir des Québécois de s'affirmer comme société distincte participe donc d'un phénomène universel.

Les revendications formulées depuis plus d'une décennie par ces différents groupes ont pris une telle ampleur qu'elles ont provoqué une profonde remise en question des théories classiques concernant le processus de modernisation. Ces théories prenaient pour acquis que les particularismes ethniques étaient appelés à disparaître sous l'influence de l'industrialisation. Celle-ci devait progressivement éliminer toutes les différences résultant de la race, de l'ethnie, de la langue ou de la religion. Cette perception des effets de l'industrialisation était particulièrement évidente dans les théories mises au point pour expliquer la formation des Etats nationaux, laquelle se concevait essentiellement comme un phénomène d'absorption des groupes minoritaires par un groupe dominant.[6] La formation d'un Etat national s'achevait donc lorsque ce processus d'assimilation était complété.[7]

La volonté affichée par tant de groupes de conserver leur identité particulière a conduit plusieurs spécialistes des sciences sociales à interpréter cette volonté non plus comme le produit d'une propagande politique, mais comme un phénomène inhérent au processus de modernisation. Celui-ci implique en effet une élévation du niveau de scolarité et, partant, une meilleure connaissance de la langue et de l'histoire propres à chaque communauté culturelle. De même, le développement des moyens de communication, tels que la radio et la télévision, contribue à rendre chaque communauté plus consciente de ce qui la distingue des autres communautés.

---

5. Voir N. Glazer et D.P. Moynihan, eds. *Ethnicity: Theory and Experience,* Harvard Univ. Press, 1975, p. 6.

6. Pour une analyse de ces théories, voir l'article de Walter Connor dans: E. J. Milton ed., *Ethnic Conflict in the Western World,* Cornell Univ. Press, 1977.

7. En 1956, le professeur K. Deutsch de l'Université Harvard soutenait que les Bretons, les Flamands, les Ecossais, les Gallois et les Canadiens français constituaient des exemples de groupes sociaux ayant été totalement assimilés (voir: *Nationalism and Social Communication: An Inquiry into the Foundation of Nationality,* MIT Press, 1956). La même idée fut reprise dans: *Nationalism and Its Alternatives,* New York: Knoff, 1969.

(Comment nier par exemple l'influence qu'a eue Radio-Canada sur la culture québécoise depuis les années 30?) En élevant le niveau de vie moyen d'une population, le processus de modernisation lui donne accès à des ressources et à des loisirs plus nombreux, accroissant ainsi sa capacité de créer. La modernisation permet aussi à une communauté de prendre contact avec d'autres communautés ayant les mêmes affinités qu'elle. C'est ainsi que le Québec a, depuis une quinzaine d'années, renoué des liens avec la France, liens qui étaient pourtant assez ténus pendant deux siècles. Ainsi, en même temps qu'elle uniformise les genres de vie, la technologie moderne contribue à éveiller la conscience que les individus ont d'appartenir à une communauté culturelle particulière.[8] L'ère moderne est donc aussi bien celle des prises de conscience différenciatrices que celle de la technologie uniformisatrice.

Comment cette opposition entre les effets uniformisateurs et différenciateurs de la modernisation peut-elle se résoudre? Par le fait que la culture elle-même se transforme et devient pluraliste. La culture québécoise n'a pas échappé à cette transformation. Elle a évolué depuis un demi-siècle en s'imprégnant d'éléments qui lui étaient auparavant totalement étrangers. Composée au siècle dernier d'une majorité de paysans et de travailleurs non spécialisés et d'une minorité de professionnels — avocats, médecins et clercs —, la société québécoise est aujourd'hui urbanisée à plus de 85%. Elle est « stratifiée », comme toute société moderne, selon des niveaux d'occupation: ouvriers non spécialisés, ouvriers spécialisés, groupes semi-professionnels et professionnels. Il arrive fréquemment que les intérêts de l'un de ces groupes sociaux soient plus étroitement associés à ceux de groupes comparables dans le reste du Canada ou aux Etats-Unis qu'à ceux des autres Québécois. Par exemple, l'extension à certaines catégories de travailleurs québécois du droit à la syndicalisation a été profondément influencée par les législations adoptées ailleurs en Amérique du Nord. Il en va de même à propos des lois québécoises relatives au statut de la femme.

---

8. Ce n'est que depuis sept ou huit ans que des efforts sérieux ont été faits pour expliquer le lien qui semble exister entre le processus de modernisation et l'affirmation vigoureuse et parfois violente des groupes ethniques. Voir notamment: E. J. Milton ed., *op. cit.*; N. Glazer et D. P. Moynihan, eds. *op. cit.*; C. H. Enloe, *Ethnic Conflict and Political Development*, Boston, Little and Brown, 1972; Michael Novak, *The Rise of the Unmeltable Ethnics: Politics and Culture in the seventies*, New York, MacMillan Co., 1972.

Les syndicalistes et les féministes du Québec ont des intérêts et des aspirations que partagent leurs homologues d'ailleurs, mais que ne partagent nullement plusieurs citoyens québécois.

Des valeurs autrefois étroitement associées à la culture québécoise ont perdu de leur importance. Le catholicisme, que les membres de la Commission Tremblay considéraient en 1956 comme l'élément le plus important du patrimoine culturel québécois, n'a plus l'importance qu'il avait autrefois. Comme dans toutes les sociétés industrielles, il y a aujourd'hui au Québec une partie de la population qui manifeste de l'indifférence à l'égard des questions religieuses et une autre qui continue d'y attacher de l'importance. Et même si ceux qui appartiennent à ce dernier groupe sont presque tous catholiques, ils hésiteraient à considérer leur catholicisme comme un facteur important de différenciation par rapport aux anglophones protestants. La plupart des catholiques pourraient même soutenir qu'entre eux et les protestants la distance est moins grande que celle existant entre eux et des agnostiques, ce qui implique que beaucoup de Québécois ont, en regard de la culture religieuse, plus d'affinités avec certains Canadiens des autres provinces qu'avec d'autres Québécois.

Les valeurs reliées à la famille ont également beaucoup changé. A mesure que les fonctions de socialisation et d'éducation autrefois remplies par la cellule familiale ont été transférées à d'autres institutions sociales, la famille québécoise s'est apparentée davantage au modèle dominant de la famille nord-américaine.

Enfin les préoccupations et les intérêts des intellectuels québécois ne sont plus limités à la religion et aux belles-lettres. Les institutions d'enseignement accordent maintenant aux sciences et à la technique une place comparable à celle des autres matières et, en cela, elles ressemblent davantage aux institutions canadiennes-anglaises ou américaines que dans le passé. Dans le domaine des sciences sociales, on observe aujourd'hui au Québec différents courants de pensée qui n'ont rien de proprement québécois et qui reflètent plutôt des influences internationales. (A cet égard, il conviendrait de rappeler aux auteurs du livre blanc que les concepts de « sous-développement » et de « colonialisme » qu'ils utilisent pour diagnostiquer la culture québécoise constituent eux aussi des « emprunts » : il n'y a pas que les objets de consommation et de production industrielle qui « viennent d'ailleurs ».)

A mesure que les valeurs inspirées par les convictions religieuses et la situation familiale deviennent moins significatives dans la société québécoise, d'autres le deviennent davantage. C'est ainsi que les Québécois sont aujourd'hui beaucoup plus soucieux de la qualité de la langue française. Celle-ci a même acquis depuis quelque temps une valeur symbolique : ce sont les questions linguistiques qui ont suscité les plus vifs débats politiques au Québec depuis dix ans. La querelle autour du mot STOP qui se prolongea pendant près de deux mois au début de 1979 est particulièrement révélatrice à cet égard. La prépondérance de la langue est d'ailleurs telle, dans l'esprit de certains Québécois, qu'ils tendent à l'identifier à la culture. Or s'il est vrai que la langue est un des éléments importants de la culture, elle n'est pas *toute* la culture. Celle-ci peut en effet comprendre d'autres éléments tout aussi importants, tels que, par exemple, la religion, la philosophie, la morale, le folklore, les sciences, la technique, etc. Tout Québécois ayant séjourné quelques jours dans un pays étranger francophone a ressenti qu'il existait entre lui et les habitants de ces pays de profondes différences. Plusieurs Québécois se sentent même plus dépaysés lorsqu'ils sont en France ou en Belgique (wallonne) que lorsqu'ils sont aux Etats-Unis ou même en Angleterre. C'est dire que la langue n'est qu'un des éléments qui servent à définir une culture.

Ce jugement n'est évidemment pas partagé par les péquistes. Ceux-ci considèrent la langue comme « ... le facteur premier d'identité, la base et l'expression de la culture, une *patrie spirituelle* ».[9] dans son analyse du programme du PQ, Vera Murray note que « la personnalité et l'identité québécoises... ne sont ainsi jamais définies en d'autres termes que ceux de la langue ».[10] Son jugement est confirmé par la manière dont le gouvernement Lévesque conçoit sa politique linguistique. Le livre blanc sur *La Politique québécoise de la langue française* publié au moment du débat sur la loi 101, affirme notamment :

> C'est dans le sens d'une recherche de *maturation* que se situe l'objet d'une politique de la langue au Québec... Il s'agit de protéger et de développer dans sa plénitude une culture originale : *un mode d'être, de penser, d'écrire, de créer, de se réunir, d'établir des relations*

9. Parti québécois, *Ce pays qu'on peut bâtir*, Editions du Parti québécois, 1968, p. 16.
10. Vera Murray, *Le Parti québécois : de la fondation à la prise du pouvoir*, Montréal, HMH, 1976, p. 112.

entre les groupes et les provinces, et même de conduire les affaires.
Cette exigence, aux multiples implications, va au-delà des procédés
techniques de traduction : elle ne saurait être atteinte du simple fait
qu'on a condescendu à accorder une terminologie française pour des
réalités qui demeureraient *culturellement étrangères ou hostiles.* Ce
n'est pas un problème linguistique que posent quotidiennement le
« hot-dog » et le « banana-split » : c'et un problème de culture.[11]

Ainsi donc, pour un péquiste, langue et culture sont à peu près
synonymes. Et la culture, c'est « un mode d'être, de penser, d'é-
crire... de conduire des affaires ». Par conséquent, tout se ramène à
une affaire de langue. C'est d'ailleurs exactement ce que disait
René Lévesque dans le manifeste du Mouvement Souveraineté-
Association qu'il fonda en 1968 : « Au coeur de cette personnalité
(québécoise) se trouve le fait que nous parlons français. *Tout le
reste* est accroché à cet élément essentiel, en découle ou nous y ramène infailliblement. »[12]

Cet impérialisme de la langue constitue le fondement de toute
la pensée péquiste. Car si « tout le reste » est accroché à la langue,
alors les Québécois francophones devraient former, par définition,
une collectivité parfaitement homogène qu'il serait difficile de distinguer du peuple français ou wallon. Et les habitants de Terre-
Neuve, de l'Ontario et de l'Alberta devraient également constituer
une sorte de bloc monolithique qu'on devrait pouvoir d'ailleurs
assimiler à l'univers américain. On ne s'étonnera pas alors si les
péquistes perçoivent les fédéralistes comme des « vendus » ou des
« assimilés » : les fédéralistes sont ceux en effet qui veulent coexis-
ter au sein d'un cadre fédéral avec des anglophones, c'est-à-dire
avec des gens qui, parce qu'ils ont une langue qui n'est pas le français, *existent, pensent, écrivent, créent, conduisent des affaires*
d'une manière qui n'est pas française. Vivre avec eux dans un cadre
fédéral, c'est donc s'assimiler, c'est s'exposer à manger des « hot-
dogs » et des « banana-splits », à vivre dans un « bungalow », etc.
Et tout cela est évidemment « aliénant », parce que « étranger » à
la langue et à la culture québécoises. L'« âme québécoise » est quo-

---

11. Québec, *La Politique québécoise de la langue française* (présenté à l'Assemblée nationale et au peuple du Québec par Camille Laurin, ministre d'Etat au
Développement culturel), p. 21 (les italiques sont de moi).
12. Cité dans : *Quand nous serons vraiment chez nous,* Editions du Parti québécois, Montréal, 1972, p. 13 (les italiques sont de moi).

tidiennement violée par ces emprunts. Ceux qui ne s'objectent pas à ces emprunts sont assimilés. Ils n'ont plus d'âme québécoise. Ils ne devraient donc pas avoir voix au chapitre.

Cette façon de concevoir le problème de la langue est partagée par la plupart des militants péquistes. Dans un article intitulé « Le Québec au carrefour », l'hebdomadaire français *L'Express* rapportait les propos suivants de Jacques Vallée, chef du protocole au gouvernement québécois: « Le bilinguisme populaire n'existe qu'en période de transition. En fait, les langues *luttent* les unes contre les autres; car chacune exprime une vision du monde et même un mode de vie, donc une identité.» Le même article rapporte également les propos suivants attribués à des francophones qui « se sentent menacés » : « Il faut défendre des places fortes linguistiques comme autrefois les places fortes militaires. »[13] Les péquistes cherchent à répandre le sentiment que le français est menacé, parce que cela est essentiel à la réalisation de leurs objectifs politiques. Le rapport de la Commission Gendron a pourtant démontré au-delà de tout doute que la langue française n'est nullement menacée au Québec, ni même à Montréal. Une étude faite pour la Commission mentionne notamment que les Québécois francophones « utilisent le français en moyenne dans 86.7% de leur temps de travail ». Pour la région de Montréal, cette proportion est de 78%.[14] Enfin, les données du dernier recensement révèlent qu'entre 1971 et 1976, la proportion des francophones au Québec a augmenté et que celle des anglophones a diminué.[15]

Ce qui ressort de tout cela, c'est que les péquistes ne veulent pas reconnaître que la civilisation moderne a profondément modifié, non seulement le « paysage » du Québec, mais aussi ce que le livre blanc appelle son « intériorité ». La société québécoise, en se modernisant, est devenue pluraliste. Les Québécois ont des intérêts, des goûts, des aspirations, des idées qui n'ont plus le caractère

---

13. *L'Express*, édition du 17 février 1979.

14. Voir Etude E3 du *Rapport de la commission d'enquête sur la situation de la langue française et sur les droits linguistiques au Québec*, juillet 1973, p. 13 et p. 320.

15. Voir à ce sujet une étude de Réjean Lachapelle préparée pour l'Institut de recherches politiques et intitulée « Quelques remarques à propos de la comparabilité de la composition par langue maternelle aux recensements de 1971 et 1976. »

homogène qu'ils avaient dans le passé. Si on fait exception de la langue et de certains traits qui y sont associés, on ne peut plus définir une « homogénéité » québécoise comme on pouvait le faire au siècle dernier. Les Québécois ne sont plus tous des paysans catholiques et natalistes. Ils sont ruraux ou citadins, locataires ou propriétaires, professionnels ou ouvriers, diplômés d'université ou non diplômés, syndiqués ou non syndiqués, montréalais ou non montréalais, religieux ou agnostiques, progressistes ou conservateurs, intellectuels ou non intellectuels, scientifiques ou littéraires. Comme tout homme moderne, chaque Québécois est un être multiple, parfois divisé. Il appartient en même temps à une famille, à une Eglise, à une association professionnelle, à une ville, à un parti, à une province, à une fédération, à une civilisation. Entre toutes ces appartenances, il y a souvent des tensions et même parfois des contradictions. Les Québécois n'appartiennent donc pas à une seule communauté qui les intègre entièrement mais à plusieurs.

Ainsi, le fait pour un Québécois d'avoir le français comme langue maternelle n'épuise pas sa personnalité, pas plus d'ailleurs que le fait d'être catholique n'épuisait sa personnalité, comme le croyait la pensée ultramontaine. C'est pourquoi la question que les péquistes se complaisent à poser aux francophones qui ne partagent pas leurs opinions — êtes-vous d'abord Québécois ? — a quelque chose de choquant. Poser cette question à quelqu'un, c'est affirmer implicitement qu'il y a un doute quant à sa fidélité à une certaine « essence » québécoise. Si l'on croit en effet nécessaire de s'interroger sur l'authenticité de tout Québécois qui n'est pas péquiste, c'est que l'on présuppose qu'un Québécois « normal » est nécessairement péquiste et que tous les Québécois francophones devraient penser de la même façon. Alors que ce qui est normal dans une société moderne, c'est précisément que ses membres aient des intérêts, des aspirations et des opinions qui varient, bref qu'il y ait pluralisme. Dire que la société québécoise est devenue pluraliste, c'est souligner le fait que les individus qui la composent ne se définissent plus par une ou deux caractéristiques — français, catholique — ayant un caractère absolu. Ils sont multiples et différenciés comme les citoyens de toutes les autres sociétés modernes. C'est pourquoi l'unanimité y est désormais impossible. C'est là le lot ou le bonheur de toute société moderne.

CHAPITRE VIII

Que propose le fédéralisme?

« C'est pour unir les avantages divers qui résultent de la grandeur et de la petitesse des nations que le système fédératif a été créé. »
ALEXIS DE TOCQUEVILLE

« Le fédéralisme prouvera sa valeur pour la société en montrant qu'il est le type d'organisation politique qui sert le mieux les intérêts de la culture. »
GASTON BERGER

« The individual liberty of man has to be organized today on a supranational basis. »
HANS KOHN

Un esprit polémique pourrait sans doute conclure du chapitre précédent qu'il y a une contradiction au coeur de la stratégie péquiste qui la condamne à un échec inéluctable. En effet, ou les Québécois sont culturellement aliénés (comme le soutiennent les péquistes), ou ils ne le sont pas. S'ils sont aliénés, ils sont par définition incapables de comprendre le message que leur envoie cette « élite » intellectuelle dont parle le livre blanc sur le développement culturel. Entre une « masse » culturellement aliénée et une « élite » clairvoyante, la communication n'est pas possible. Mais si les Québécois ne sont *pas* culturellement aliénés, ils sont encore, par définition, incapables de comprendre le message qu'on leur adresse. Un homme « mûr » à qui on dit: « Accède à la maturité » ne sait que faire d'un tel message. C'est pourquoi il serait parfaitement logique de conclure que ceux qui soutiendront le PQ lors du référendum sont ou des aliénés (que les péquistes manipulent) ou des élitistes (ils votent pour qu'on libère la « masse » des aliénés). Ce genre d'argument explique peut-être pourquoi l'hypothèse souverainiste laisse beaucoup de gens sceptiques. Elle ne saurait cependant montrer tout ce qu'il y a de positif dans le fédéralisme.

La philosophie du fédéralisme

La valeur du fédéralisme ressort davantage si on le considère comme un prolongement des idées de modernité et de pluralisme. La première de ces notions suppose, comme l'indique le chapitre VI, une certaine uniformisation des genres de vie, c'est-à-dire une certaine unité de civilisation fondée sur des connaissances, des techniques et des valeurs communes. Cette civilisation se distingue de tout ce qui peut se rapporter aux lettres ou aux arts, c'est-à-dire tout ce qui est façonné par la sensibilité ou la personnalité d'un peuple (ce que le livre blanc sur le développement culturel appelle l' « intériorité » d'une collectivité). C'est précisément cela que l'on peut proprement appeler la culture. Il est nécessaire de distinguer entre la culture et la civilisation parce que tout ce qui est lié aux connaissances (les sciences et la technique) et à la morale (les droits de l'homme) ignore les frontières et les particularismes nationaux; tandis que tout ce qui est lié aux arts et aux lettres reflète l' « âme » d'un peuple et exprime donc son originalité. Et c'est en exprimant ainsi son identité particulière qu'un peuple peut contribuer à diversifier, et donc à enrichir, le patrimoine de l'humanité. Il est facile d'illustrer cette distinction par des exemples. En choisissant d'entrer de plain-pied dans la civilisation industrielle, le Québec a choisi de valoriser un certain type de connaissances (les sciences) et d'adopter un certain nombre de techniques (production à la chaîne, ordinateur, automobiles, télévision, etc.) qui sont communes à plusieurs sociétés. Comme il n'a pas découvert lui-même ces connaissances et ces techniques, il se devait de les emprunter. Mais en les assimilant et les approfondissant, il a pu contribuer aussi à leur développement. C'est ainsi que par la construction de barrages hydro-électriques dans le Nouveau-Québec ou l'aménagement d'un complexe commercial souterrain et d'un métro à Montréal, les Québécois ont développé des entreprises scientifiques et technologiques qui sont autant de contributions au bagage de connaissances et d'expériences de l'humanité. Tout cela relève de la civilisation. C'est une réalité à laquelle le Québec emprunte et contribue tout à la fois.

Par ailleurs, en s'exprimant par ses chansonniers, ses poètes, ses romanciers et ses dramaturges, le Québec participe à des formes d'art qui existent dans tous les pays occidentaux. Ces formes ont été empruntées elles aussi. Mais à travers elles, les artistes québécois ont pu révéler qu'il existe une certaine sensibilité québécoise qui est unique et qui constitue un apport à l'héritage culturel de l'humanité. C'est bien ce que suggère en tout cas le succès international d'artistes tels que Gilles Vigneault, Pauline Julien, Félix Leclerc. Ainsi dans l'ordre culturel, le Québec participe à des courants internationaux dont il subit l'influence et qu'il enrichit et influence à son tour. Culture et civilisation sont donc deux réalités différentes par rapport auxquelles le Québec est appelé aussi bien à emprunter qu'à contribuer.

Autant il importe de reconnaître que la civilisation et la culture sont des réalités distinctes, autant il importe de reconnaître qu'il existe des rapports entre les deux. En effet la culture ne peut se développer sans prendre appui sur un certain terrain économique. Pour s'adonner à des activités culturelles, il faut avoir satisfait certains besoins essentiels. Et l'histoire démontre que ce sont les civilisations les plus prospères qui ont produit les cultures les plus vivantes. Les chefs-d'oeuvre de la Renaissance italienne n'auraient jamais vu le jour si les riches marchands de Venise et de Florence n'avaient pas soutenu financièrement les artistes qui les ont créés. De même, les nombreux peintres, comédiens, chansonniers et romanciers que le Québec possède ne pourraient exercer leur métier d'artiste sans la prospérité qu'a rendue possible le développement industriel des cinquante dernières années. Par conséquent, une culture ne peut se développer que dans la mesure où les conditions économiques, c'est-à-dire l'état de la civilisation, le permettent.

C'est parce qu'ils confondent culture et civilisation que les péquistes sont conduits à présenter une image pessimiste de la société québécoise comme celle offerte dans le livre blanc du ministre Camille Laurin.[1] C'est en insistant au contraire sur la distinction entre ces deux réalités que l'on peut montrer la richesse du fédéralisme. En effet, un des principaux objectifs du fédéralisme consiste à réaliser une certaine unité de civilisation tout en respectant la diversité des cultures. Il consacre l'unité politique des peuples dans ce qu'ils ont de commun (la civilisation) et leur diversité dans ce que chacun d'entre eux a d'unique (la culture). Selon l'heureuse expression de

---

1. Le livre blanc définit la culture comme étant essentiellement un « ensemble de manières de vivre ». Il affirme en même temps qu'une culture « se reconnaît à des traits originaux ». (p. 43) Il faudrait donc, pour être logique, conclure que chaque peuple a un ensemble de manières de vivre qui lui est original. Or le processus de modernisation tend à uniformiser les genres de vie.

Gaston Berger, il permet « une certaine unité, sans laquelle la diversité deviendrait de l'éparpillement ». [2] Loin de frustrer la liberté des peuples, cette unité tend au contraire à la favoriser, parce que la modernisation des sociétés crée des liens d'interdépendance entre ces peuples. Pour que les liens d'interdépendance deviennent des liens de solidarité, il faut qu'ils soient organisés dans un cadre institutionnel. Au niveau des individus, l'unité de civilisation contribue aussi à la liberté, parce que les individus dans une société moderne se caractérisent par leur pluri-appartenance à des groupes ou à des catégories dont les intérêts et les aspirations dépassent les limites de la province ou de la nation. La création de structures politiques qui transcendent la province ou la nation ne peut que servir ces intérêts et ces aspirations.

Une façon de concevoir et d'organiser le pouvoir politique

Comment le fédéralisme peut-il réaliser une unité de civilisation qui favorise et donne un sens à la diversité des cultures? Il le fait en unissant des sociétés politiques au sein d'une structure politique qui, en même temps qu'elle jouit elle-même d'une existence propre, consacre l'existence propre de chaque société constitutive. Ce paradoxe est rendu possible en répartissant le pouvoir entre deux ordres de gouvernement, l'un fédéral, l'autre provincial ou étatique, de manière à garantir l'existence autonome de tous les gouvernements, lesquels forment collectivement un système de pouvoirs interdépendants qu'on appelle le système fédéral. A cause de l'interdépendance des pouvoirs, le système ne fonctionne bien que si les grandes décisions politiques sont négociées entre les représentants des différents gouvernements, ce qui permet à toutes les sociétés de participer à l'exercice du pouvoir aussi bien au niveau du système tout entier (le niveau fédéral) qu'au niveau de ses composantes (le niveau des provinces ou des Etats fédérés).

L'essence du fédéralisme réside donc dans le partage du pouvoir politique entre des ordres de gouvernement. Cela implique que la notion de souveraineté politique, entendue dans son sens habituel, n'existe pas dans un système fédéral. La souveraineté

---

2. Voir l'article de Gaston Berger dans: *Le Fédéralisme* (écrit en collaboration) P.U.F., Paris, 1956, p. 27.

suppose en effet un pouvoir indivisible et suprême, une sorte d'omnicompétence ou d'omnipuissance. Or, ce qui fait une fédération, c'est précisément la division du pouvoir entre des ordres différents de gouvernement. Et ce qui garantit son fonctionnement, c'est la volonté de ces gouvernements de négocier des arrangements convenant à toutes les parties — ce que l'on appelle parfois l'« esprit » fédéraliste. Toute idée d'un pouvoir indivisible et omnicompétent est donc incompatible avec la notion de fédéralisme. C'est d'ailleurs parce que le mot « pouvoir » est souvent associé à celui de souveraineté — on parle de pouvoir souverain ou de puissance souveraine — qu'il convient de parler plutôt des « compétences » de chaque ordre de gouvernement. Dans une fédération, chaque niveau de gouvernement détient un certain nombre de compétences (l'éducation, la santé et le bien-être social sont des compétences provinciales; l'émission de la monnaie, le commerce interprovincial et international sont des compétences fédérales) qui lui sont attribuées en vertu d'un texte constitutionnel accepté par tous les gouvernements; et chaque gouvernement est autorisé à agir dans le domaine de ses compétences seulement. C'est parce que les provinces détiennent leurs compétences en vertu d'une constitution écrite, et non pas en vertu d'une quelconque délégation de pouvoirs reposant sur le bon plaisir de l'autorité fédérale, qu'elles sont en position de négocier en toute liberté avec le gouvernement fédéral. De la même façon, c'est parce qu'il détient ses compétences en vertu d'une constitution écrite, et non pas en vertu d'une délégation de pouvoirs reposant sur le bon plaisir des provinces, que le gouvernement fédéral jouit d'une existence autonome. Les provinces ne sont pas plus les créatures du gouvernement fédéral que le gouvernement fédéral n'est une créature des provinces. C'est en ce sens qu'on peut dire que chaque ordre de gouvernement est autonome. La notion d'autonomie signifie que chaque gouvernement a une existence propre, c'est-à-dire une existence qui ne dépend pas de la volonté de l'autre gouvernement. [3]

---

3. Ainsi entendu, le mot « autonomie » a un sens très différent de celui que lui donnait la Commission Tremblay. Lorsque celle-ci parlait de l'autonomie des provinces, elle désignait le droit des provinces *d'exercer* leurs compétences dans une indépendance quasi complète, ce qui, dans un Etat moderne, est impossible à cause de l'interdépendance des compétences attribuées à chaque ordre de gouvernement.

L'autonomie de chaque ordre de gouvernement est également sanctionnée par le fait que les gouvernements provinciaux et fédéraux sont élus démocratiquement par les mêmes électeurs. Chaque gouvernement tire donc sa légitimité non pas du consentement des autres gouvernements dans la fédération, mais de la volonté des citoyens qui l'ont élu. Et les citoyens qui élisent le gouvernement fédéral sont également ceux qui élisent les différents gouvernements provinciaux. Car vivre dans un système fédéral, c'est vivre dans deux communautés politiques à la fois. Là réside sans doute la richesse de tout système fédéral. Tout individu vivant dans un tel système est en effet citoyen de deux Etats, l'un qu'on appelle l'Etat provincial (ou fédéré), l'autre qu'on appelle l'Etat fédéral. Comme l'a expliqué le politicologue américain Carl Friedrich, le fédéralisme repose sur l'idée que

> dans un système fédéral de gouvernement, chaque citoyen appartient à deux communautés, celle de son état et celle de la nation ; que ces deux niveaux de communauté doivent être clairement distincts et être chacun pourvu effectivement de son propre gouvernement ; et que dans la structuration du gouvernement de la plus grande communauté, les états composants doivent jouer un rôle distinctif en tant qu'états... le système fédéral ne se compose pas simplement d'états, comme dans une ligue, mais crée une nouvelle communauté, incluant tous les citoyens de tous les états. [4]

Deux citoyennetés, c'est-à-dire deux allégeances, c'est-à-dire deux loyautés. Pour un fédéraliste, la question : « Etes-vous Québécois d'abord et Canadien ensuite ? » n'a aucun sens. Elle présuppose en effet qu'une loyauté doit être subordonnée à l'autre, ce qui n'est pas le cas. Une personne aime-t-elle moins ses parents le jour où elle choisit un conjoint ? Le fédéralisme postule qu'un homme moderne peut appartenir à deux communautés politiques ou plus, et qu'il n'y a pas nécessairement incompatibilité entre ces appartenances multiples, parce qu'il est lui-même multiple, comme le révèle son appartenance à plusieurs communautés d'intérêts — famille, syndicat, parti, Eglise, etc. Et certes il pourra exister des tensions entre les deux Etats qui prétendent le servir. Mais celles-ci ne sont en définitive que le reflet des tensions qu'imposent à chaque individu les appartenances multiples que crée le monde moderne. Le fédéralisme ne cherche pas à nier les tensions, mais à les ordon-

---

4. Carl J. Friedrich, *op. cit.*, p. 29.

ner et à les résoudre par la négociation. Il peut y parvenir parce que les deux ordres de gouvernement servent en dernière analyse la même clientèle. A court terme, leurs objectifs immédiats peuvent sembler différents, mais leurs objectifs ultimes sont les mêmes.

Comment peut se réaliser cette négociation entre deux ordres de gouvernement représentant les mêmes personnes, mais ayant des aspirations et des intérêts qui sont tantôt convergents, tantôt divergents? En accordant aux éléments constitutifs de la fédération le moyen de participer à l'élaboration des grandes politiques nationales. Dans certains régimes fédéraux, cette participation est assurée par une représentation directe des Etats fédérés dans les institutions centrales. C'est ce qui se fait notamment aux Etats-Unis, où chacun des Etats fédérés est représenté au Sénat par deux sénateurs. La Suisse et l'Allemagne de l'Ouest ont aussi des mécanismes prévoyant la représentation des intérêts provinciaux au sein de l'Etat fédéral. Au Canada, la représentation des intérêts provinciaux et régionaux devait à l'origine être assurée par le Sénat. Mais parce que les sénateurs canadiens sont nommés plutôt qu'élus, et aussi à cause du principe de la responsabilité ministérielle, le Sénat n'a pas su jouer ce rôle avec autant de succès que semblent l'avoir souhaité les Pères de la Confédération. Le besoin de coordination et de négociation entre les deux ordres de gouvernement s'étant accru au cours des ans, de nouveaux organismes furent mis au point pour y répondre. C'est ainsi que furent créées la Conférence fédérale-provinciale des premiers ministres et les différentes conférences fédérales-provinciales à vocation spécialisée, telles que la Conférence des ministres des finances, la Conférence des ministres de la santé, la Conférence des ministres de l'industrie et du commerce. [5] Ces conférences jouent un rôle essentiel dans le fonctionnement de notre régime fédéral.

Un certain esprit national

Pour que les tensions et les différends que soulève inévitablement

---

5. Il existe presque autant de Conférences fédérales-provinciales de ministres qu'il existe de ministres dans le cabinet fédéral. Pour une étude exhaustive des mécanismes de consultation fédérale-provinciale, voir le livre de G. Veilleux, *Les Relations intergouvernementales au Canada, 1867-1967*, Presses de l'Université du Québec, 1971.

le fonctionnement d'un régime fédéral ne conduisent pas à l'éclatement, il faut que ses éléments constitutifs soient liés entre eux par un ensemble de valeurs et d'idées, bref par un certain esprit national. En Allemagne, cet esprit national a été hérité de l'histoire. Il existait avant l'établissement d'une structure fédérale en 1860. Aux Etats-Unis, l'esprit national s'est formé progressivement à partir de la révolution américaine et de certaines idées constitutionnelles, notamment celle de la séparation des pouvoirs, que les pères de la Constitution américaine avaient empruntée au siècle des lumières. Des expériences telles que la guerre de Sécession et les deux guerres mondiales ont également contribué à façonner la mentalité américaine. Le développement d'un esprit national aux Etats-Unis a été facilité par le fait qu'aucun des Etats fédérés n'avait de puissantes traditions culturelles ou politiques. Dans les fédérations comme la Suisse, la Yougoslavie et le Canada cependant, l'émergence d'un esprit national a été profondément influencée par l'attachement que les communautés culturelles de ces pays portent à leurs traditions et à leurs institutions particulières. Dans les fédérations plus récentes, telles que le Nigeria et l'Inde, l'esprit national est encore à l'état embryonnaire et son développement exigera sans doute plusieurs années.

On ne saurait trop insister sur l'importance de cet esprit national, car c'est lui qui, en définitive, constitue le ciment d'une fédération. L'esprit national est important même dans la fédération canadienne, où existe pourtant un profond ferment de division depuis quelques années. Au-delà de la dualité des cultures et de la pluralité des régions, il y a en effet un ensemble de valeurs et d'expériences qui unit les Canadiens de toutes les provinces. Ainsi, par exemple, contrairement aux pionniers américains qui voulaient se couper du « vieux monde » pour établir une « nouvelle société », les Canadiens d'ascendance française aussi bien que britannique sont demeurés attachés aux traditions et aux valeurs de la civilisation européenne. L'évolution constitutionnelle du Canada traduit bien cet attachement à l'Europe : plutôt que d'accéder brusquement à l'indépendance dans le feu de la violence, comme le firent les Etats-Unis, le Canada conserva jusqu'au premier tiers du XIXe siècle le statut de colonie, devint en 1848 une « province » britannique où s'appliquait le principe du « gouvernement responsable », se dota eu 1867 du statut de « dominion » en vertu de l'AANB, proclama en 1931 sa pleine souveraineté en matière de politique étrangère grâce au statut de Westminster, et se libéra en 1950 seulement de l'obligation de ne plus en référer à Londres pour interpréter sa constitution. Les fleurs de lys et le bleu royal du drapeau québécois ainsi que la devise *Je me souviens* symbolisent la fidélité des Canadiens francophones à leur origine française, tout comme l'Union Jack a symbolisé pendant longtemps l'attachement des Ontariens et des Terres-Neuviens à leur « mère patrie ».

Qu'ils soient de langue française ou anglaise, les Canadiens partagent aussi une même attitude à l'égard de l'Etat. Aussi bien dans la Nouvelle-France que dans le régime d'Union et, plus tard, dans la Confédération, l'Etat a été un des principaux agents du développement économique et social, alors qu'aux Etats-Unis toute initiative économique d'un gouvernement a toujours été a priori suspecte. Les Canadiens, eux, ont trouvé tout naturel de confier à l'Etat le recrutement des immigrants, le percement des canaux, le tracé des chemins de fer, la mise en place d'un réseau de lignes aériennes ou d'un réseau de radio et de télévision, la création d'une Société canadienne de développement, etc. La nationalisation de l'électricité au Québec en 1963 n'avait rien de bien singulier, puisqu'elle survenait plusieurs années après que la plupart des provinces canadiennes eurent fait de même. Et l'intérêt que l'Etat québécois porte aujourd'hui à l'industrie de l'amiante est inspiré par le même souci qui a conduit la Saskatchewan à nationaliser les mines de potasse, l'Alberta à investir massivement dans l'exploitation des sables bitumineux de l'Athabaska et la Colombie britannique à interdire l'exportation hors de ses frontières du bois sous forme de billots. Dans le domaine de la sécurité sociale, Canadiens de langues française et anglaise partagent un même désir de confier à l'Etat d'importantes responsabilités. Il s'agit là aussi d'un trait qui les distingue de leurs voisins du sud qui, eux, n'ont pas voulu se doter d'un régime public d'allocations familiales ou d'un régime public d'assurance-hospitalisation et d'assurance-maladie. (Il est intéressant de noter à cet égard qu'une délégation de « Congressmen » américains, dont faisait partie le sénateur Kennedy, ont cru utile de visiter le Canada en 1976, afin de s'enquérir de la façon dont étaient conçus et administrés les programmes canadiens dans le domaine de la santé.)

On pourrait multiplier les exemples démontrant que les Canadiens d'origine française et britannique ont tout un bagage d'expériences et de valeurs communes. Qu'il s'agisse de l'attachement aux institutions parlementaires (même la stratégie péquiste fondée sur l'« étapisme » — prise du pouvoir par voie démocratique, adoption d'une loi sur les référendums, détermination par l'Assemblée nationale de la question qui y sera posée — fait appel à la tradition parlementaire), du rejet des méthodes fondées sur la violence (les rébellions de 1837 n'ont pas eu l'appui de l'ensemble de la population ni dans le Bas-Canada, ni dans le Haut-Canada), d'une certaine expérience « nordique » ou des liens entre l'Eglise et l'Etat, les Canadiens ont une certaine façon de voir les choses qui, sur l'essentiel, est à peu près la même. Même l'attachement des Canadiens à leur province peut être considéré comme un facteur d'unité. Car il n'y a pas que les Québécois qui soient méfiants à l'égard d'une trop grande centralisation des pouvoirs à Ottawa. Les préoccupations autonomistes d'un Duplessis reflétaient celles de Mitchell Hepburn, qui fut premier ministre de l'Ontario pendant les années 30, et trouvaient un écho dans celles de George Drew qui occupa le même poste pendant les années 50. Le Québec ne peut d'ailleurs même pas prétendre être à l'origine de la tradition autonomiste, puisque c'est Oliver Mowat, premier ministre de l'Ontario de 1872 à 1896, qui fut le premier et le plus ardent promoteur de l'autonomie provinciale au siècle dernier. Quant au premier mouvement séparatiste, il est né en Nouvelle-Ecosse au cours des premières années de la Confédération. Et les nombreuses consultations interprovinciales auxquelles le Québec participe depuis quelques années montrent qu'il n'est pas seul à vouloir limiter aujourd'hui l'influence du gouvernement fédéral.

C'est cet ensemble de valeurs, de traditions et de réactions semblables qui nous a permis de développer un certain esprit national canadien. Celui-ci ne repose ni sur l'ethnie, ni sur la langue, ni sur une quelconque idéologie. Il se fonde essentiellement sur une volonté de préserver une certaine diversité aussi bien linguistique que culturelle et géographique. Les Canadiens forment ensemble, comme l'avait souhaité Sir George-Etienne Cartier, « une nationalité politique, indépendante de l'origine nationale et de la religion des individus ». [6]

Les valeurs qui ont inspiré l'expérience canadienne — respect des différences culturelles, tolérance, volonté de dialogue, partage

---

6. Joseph Tassé, *Discours de Sir George-Etienne Cartier,* p. 422.

de la richesse — semblent en définitive correspondre aux exigences de tout système fédéral. Le fédéralisme ne peut en effet subsister que là où chaque partie constitutive accepte la diversité de l'ensemble et se montre disposée à ne pas exploiter la force que procurent le nombre ou la richesse. Ce que l'on appelle l'« esprit » fédéraliste, c'est justement une certaine disposition à rechercher des solutions dans le dialogue, la compréhension et l'ouverture plutôt que dans la pression ou la coercition. Cet esprit postule qu'il y a plus à gagner en agissant ensemble que séparément, et que les négociations en vue de décisions importantes doivent se poursuivre jusqu'à ce qu'il y ait consensus, et ce, même lorsqu'une majorité aurait les moyens d'imposer sa volonté à une minorité. Il suppose donc qu'en s'élevant au-dessus de certaines considérations immédiates, les intérêts des diverses parties constitutives peuvent toujours être réconciliés. Il ne nie pas les rapports de force: il les dépasse en affirmant que ce qui unit est plus important que ce qui sépare. C'est pourquoi les notions de « majorité » et de « minorité » sont inadéquates pour décrire son fonctionnement.

Jusqu'à quel point cette description correspond-elle à l'expérience vécue du fédéralisme canadien? La réponse à cette question peut évidemment varier d'un auteur à l'autre. Mais il est tout de même significatif que certaines théories, selon lesquelles le fédéralisme devrait obéir à une logique essentiellement économique, ont été totalement contredites par des analyses empiriques. Celles-ci démontrent que le fédéralisme canadien, loin de répondre à une telle logique, obéit au contraire à des préceptes essentiellement politiques. C'est ainsi, par exemple, qu'un politicologue canadien concluait une analyse de notre régime fédéral:

The constitutional arrangements 'of Canadian federalism are jointly determined by an exclusive group of eleven governments... Unanimity is the basic decision rule; a pattern of ordered relationship between these governments follow as a result. In turn, the delivery of public goods and services possess an inherent logic... On an analytical level, the operation of Canadian federalism can be predicted not by assuming that governmental relationships are hierarchical nor by assuming that public officials are omnicompetent. Such assumptions would predict a regularized process or set of procedures for the transfer of functions between levels of government to secure a « unified effort » in administration. It would suggest a progressive transfer of functions to the federal level as the scale of interprovincial spillovers increase... The evidence marshalled in this paper suggests, however, that few, if any, of these consequences occur. Instead it suggests that an analysis of Canadian federalism must begin with alternative assumptions about the ordering of political life and *about the competence of federal and provincial authorities.* Holdout tactics, logrolling and prolonged federal-provincial bargaining *among* governments dominate the decisions that prevail *within* governments. A decision in Canadian federalism is based upon unanimity among the eleven federal and provincial governments. The Canadian electorates maintain the dominance of this system of bargaining power by their choice of different party coalitions to govern in federal and provincial governments. [7]

Ce que cette étude suggère, c'est donc que la description du fédéralisme offerte dans les paragraphes précédents n'a rien d'idéaliste et qu'elle explique mieux le fonctionnement du régime fédéral canadien qu'un modèle de fédéralisme fondé sur la notion d'une centralisation progressive des compétences. Elle rejoint par ailleurs les conclusions de la première partie de cet ouvrage (voir chapitre VII).

Un système fédéral ne peut fonctionner sans une très grande ouverture d'esprit de la part des chefs politiques. Car l'esprit fédéraliste ne peut pas être codifié. Il se manifeste par l'action d'hommes profondément engagés dans le réel, mais capables en même temps de prendre leurs distances par rapport à lui pour mieux le saisir et agir sur lui. Il suppose de la part de ces hommes une certaine ouverture, une certaine disposition d'esprit faite à la fois d'humilité et de créativité : humilité qui permet de reconnaître qu'un Etat indépendant de petite ou moyenne dimension est impuissant à résoudre seul les problèmes auxquels il doit faire face, créativité qui permet d'entrevoir que ces problèmes peuvent être résolus s'ils sont considérés dans une perspective supranationale.

Les expériences fédérales dans le monde contemporain

Les péquistes aiment répéter que l'indépendance nationale est une chose « normale » pour tout peuple ayant une culture et des tradi-

---

7. Mark Sproule-Jones, « An Analysis of Canadian Federalism », dans : PUBLIUS, *The Journal of Federalism,* Philadelphia, The Center for the Study of Federalism, Temple University, Fall 1974, p. 135-6. (Les italiques sont de moi.)

CHAMBRE DES COMMUNES

CANADA

Avec les hommages de

L'hon. Monique Bégin, C.P., député,

St-Léonard - Anjou

aurait quelque
ionnel. Or, un
ie au contraire
politique bien
les cinq conti-
ys que par les
la terre — la
Chine n'a pas
-développé des
Européenne (le
s éléments su-
ient parler une
structure fédé-

W.H. Riker ré-
opulation mon-
e fédéral.[8] Au-
s continents et

que

Amérique du Sud: Brésil, Venezuela, Argentine
Europe:	Allemagne occidentale, Autriche, Suisse, Yougoslavie, Tchécoslovaquie, URSS
Afrique:	Nigeria, Cameroun, Lybie
Asie/Océanie:	Inde, Malaisie, Australie

Ainsi quelque 18 pays dont plusieurs comptent parmi les plus populeux de la planète se définissent comme pays à structure fédérale. Le fédéralisme n'a donc rien d'exceptionnel comme mode d'organisation gouvernementale.

On peut aussi se demander s'il n'y aurait pas lieu de considérer le marché commun européen comme une fédération en puissance. Le principe d'un marché commun, c'est l'interdiction de toute forme de discrimination entre les produits, les services, les capitaux et les personnes de pays membres du marché en question. Bref, les

---

8. W.H. Riker, *Federalism: Origin, Operation, Significance*, Little Brown and Co., 1964.

biens et les services ainsi que les facteurs de production circulent en toute liberté entre les frontières des pays membres. Un marché commun exige bien sûr qu'une politique extérieure commune soit appliquée par les pays membres à l'égard des biens, capitaux et personnes provenant de pays non membres du marché. Mais elle exige aussi tout un effort de coordination et d'intégration des diverses politiques ayant une incidence économique. Le Traité de Rome qui institue le marché commun européen prévoit neuf grandes politiques qui doivent faire l'objet d'une intégration. Ce sont les politiques commerciales et les politiques de balance des paiements, la politique agricole, la politique de concurrence, la politique de taxation, la politique du transport, la politique de l'énergie, les politiques monétaires et fiscales, la politique de main-d'oeuvre et la politique sociale.

Seulement pour la politique sociale, le Traité de Rome prescrit une étroite collaboration entre pays membres dans les domaines suivants : emploi, droit du travail et aux conditions de travail, formation professionnelle, sécurité sociale, protection contre les accidents de travail et hygiène du travail. Plusieurs dispositions du Traité prévoient en outre l'uniformisation des droits de la personne dans toute la Communauté, l'élimination de la double imposition pour ses ressortissants, la simplification de certaines formalités judiciaires et administratives et la reconnaissance mutuelle des sociétés.

Un tel effort d'intégration des diverses politiques nationales n'aurait pu être entrepris s'il n'y avait eu au point de départ de la CEE une volonté d'unification politique. C'est ce qu'affirmait d'ailleurs un des principaux fondateurs de la Communauté, Jean Monnet, lorsqu'il écrivait que l'approche suivie depuis l'élaboration du Traité de Rome a consisté à partir « de créations limitées, instituant des solidarités de fait dont le développement progressif aboutirait plus tard à la fédération ». [9] Cette évolution vers une fédération européenne est nécessaire parce que

la souveraineté dépérit quand on la fige dans les formes du passé. Pour qu'elle vive, il est nécessaire de la transférer... dans un espace plus grand où elle se fusionne avec d'autres appelées à la même évo-

9. Jean Monnet, *Mémoires*, Fayard, 1976, p. 429-30.

lution. Aucune ne se perd dans ce transfert, toutes se retrouvent au contraire renforcées. [10]

La même idée fut exprimée en 1967 par Jean-Jacques Servan-Schreiber qui observait que « des domaines comme la recherche scientifique, la construction aéronautique, l'aventure de l'espace, l'industrie des calculateurs, exigent une dimension économique qui dépasse le cadre national des moyennes puissances ». Il concluait que pour pouvoir concurrencer la puissance industrielle américaine, la CEE devait être dotée d'un « minimum fédéral ». Seul en effet « un renversement de la légitimité politique en faveur d'une certaine autorité fédérale européenne... fondée sur... le suffrage universel » permettra à l'Europe « d'échapper à la "colonisation" américaine ». [11] Un an après la publication du livre de Servan-Schreiber, Louis Armand et Michel Drancourt publiaient un autre plaidoyer pour une Europe fédérale dans lequel ils notaient que « les temps sont mûrs pour organiser la société politique sur une échelle qui dépasse les nations ». [12] Plus récemment, l'historien Emmanuel Todd notait que les pays européens ne pouvaient atteindre à une véritable liberté d'action en dehors d'un régime fédéral :

> Isolées, les nations européennes, petites, accroissent par leurs efforts individuels le désordre économique global. Unifiées, elles retrouvent leur liberté de choix... la somme des rationalités économiques nationales mène à l'irrationalité globale. L'Europe (fédérale) est une obligation, un champ d'expérience, la fin de l'immobilité. [13]

Le projet de fédération européenne n'est pas l'ambition de quelques « rêveurs ». Ses défenseurs se recrutent aujourd'hui dans tous les milieux industriels et politiques européens. Le *Comité d'action pour les Etats-Unis d'Europe* fondé par Jean Monnet était composé en 1968 de délégués de partis et de syndicats qui, ensemble, représentaient les deux tiers de l'électorat de la Communauté à cette époque. Plusieurs chefs d'Etat ou chefs de gouvernement tels que Willy Brandt, Helmut Schmidt, Valéry Giscard d'Estaing, Ed-

---

10. *Ibid.*, p. 583.

11. J.J. Servan-Schreiber, *Le défi américain*, Paris, 1967, p. 172 et 194.

12. L. Armand et M. Drancourt, *Le pari européen*, Fayard, 1968, p. 21.

13. Emmanuel Todd, *Le fou et le prolétaire*, Robert Laffont, Paris, 1979, p. 16.

ward Heath, Leo Tindemans, Giulio Andreotti et Henri Spaak en ont été des membres actifs.

Ce que tout cela démontre, c'est qu'il y a depuis la création de la CEE un important ferment fédéralisateur en Europe qui n'a jamais cessé d'agir. L'importance de ce ferment apparaît encore plus grande depuis l'élection au suffrage universel d'un Parlement européen et l'adoption d'une monnaie européenne. C'est donc à tort qu'on verrait dans le marché commun seulement une expérience d'union économique. Elle est tout autant un *projet* d'union politique. L'ignorer, ce serait tout simplement laisser de côté une réalité qui grandit et se développe depuis plus de vingt ans. Le marché commun européen, ce n'est pas un modèle de souveraineté-association, comme le prétendent les péquistes, mais un exemple de fédéralisme en gestation.

Si on prend pour acquis que le marché commun européen est une fédération en état de gestation, on peut conclure que la forme fédérale de gouvernement est la règle pour l'ensemble des pays industrialisés et que la forme unitaire de gouvernement tend à devenir de plus en plus l'exception. En effet, en dehors de la CEE, les seuls pays industrialisés qui n'ont pas de structure fédérale sont le Japon, la Suède, la Finlande, la Norvège, la Pologne et la Hongrie. [14] Enfin, les pays du Tiers monde les plus avancés sur la voie de l'industrialisation — le Brésil, l'Argentine et l'Inde — sont des pays à structure fédérale. On peut donc conclure que dans la partie la plus industrialisée de la planète, la quasi-totalité des hommes ont hérité d'une structure fédérale ou choisi récemment comme instrument de progrès une forme ou une autre de fédéralisme.

Un mot enfin au sujet de l'évolution des systèmes fédéraux. Certains croient que le fédéralisme est un moyen d'assurer une transition pacifique vers la création d'Etats unitaires. Si tel était le cas, les systèmes fédéraux évolueraient vers une centralisation de plus en plus poussée des compétences gouvernementales. Or l'expérience des systèmes fédéraux ne confirme en aucune façon cette hypothèse. Il arrive même que des systèmes évoluent dans le sens de la décentralisation plutôt que dans celui de la centralisation, comme le révèlent les expériences du Canada et de la Suisse depuis vingt ans. Il n'existe aucun exemple de système fédéral moderne

---

14. Quant à l'Espagne, elle négocie actuellement les termes de son entrée dans la CEE.

qui ait évolué vers une forme d'Etat unitaire. Il existe cependant des fédérations qui ont été démembrées. Ce fut le cas notamment de la Fédération des Indes occidentales et de la République arabe unie. On peut noter par ailleurs qu'aucun système fédéral ayant survécu à ses quinze premières années d'existence n'a été démembré, si ce n'est par une action révolutionnaire. Et dans tous les cas où cela s'est produit, le fédéralisme fut restauré par la suite. [15]

15. Voir à ce sujet le texte de Daniel Elazar sur le fédéralisme dans *International Encyclopedia of the Social Sciences*, MacMillan Co., volume 5, 1968, p. 365.

CHAPITRE IX

Que propose le nationalisme?

> « In this time of mental and
> verbal confusion... we have to start
> rethinking many concepts in their
> historical context and their
> concrete application. One of the
> chief concepts about which this
> rethinking has to be done in the
> interest of human freedom and of
> the possibility of cultural
> intercourse and universal
> rationality is the concept of
> nationalism. »
>
> HANS KOHN

> « Je me propose d'analyser avec
> vous une idée, claire en
> apparence, mais qui prête aux
> plus dangereux malentendus. »
>
> ERNEST RENAN

Le principe de l'Etat-nation

Le nationalisme moderne est une doctrine politique élaborée dans le prolongement des révolutions américaine et française qui prétend que l'humanité est composée essentiellement de nations, que ces nations sont reconnaissables à certaines caractéristiques telles que la langue, la race, la culture ou la religion, et qu'un gouvernement n'est légitime que s'il se fonde sur la nation.[1] Il existe certes plusieurs variétés de nationalisme, puisqu'il existe plusieurs caractéristiques pouvant être utilisées pour définir une nation. Mais l'idée commune à tous les nationalismes, c'est que l'humanité, dans

---

1. On trouvera une excellente analyse des origines de la pensée nationaliste dans: Elie Kedourie, *Nationalism*, Hutchison Univ. Press, London, 1966.

son état naturel (« normal » diraient certains) est divisée en nations distinctes, que chaque nation doit se constituer en Etat souverain pour se développer librement et que les membres d'une nation ne peuvent s'épanouir qu'en cultivant en eux ce qui caractérise cette nation. Selon Hans Kohn:

> nationality is... not only a group held together... by common consciousness;... it is also a group seeking to find its expression in what it regards as the highest form of organized activity, a sovereign state... Nationalism demands the nation-state.[2]

Dans la vision nationaliste, l'individu se définit essentiellement par son appartenance à la nation. C'est d'elle qu'il hérite ce qu'il a de plus précieux: sa culture. Elle lui donne une identité. Par conséquent, il lui doit tout. La culture et la politique sont, pour les nationalistes, inséparables. Aucune culture ne peut survivre, selon eux, si elle n'est pas soutenue par un Etat qui lui est exclusif (le livre blanc sur le développement culturel en témoigne de façon éloquente).

La conception nationaliste de l'homme s'oppose donc à toute conception qui met l'accent sur l'autonomie et l'individualité de la personne. C'est ce qui explique que les nationalistes sont souvent conduits à défendre des positions qui sont incompatibles avec le respect des droits individuels. Les exemples à cet égard ne manquent pas. Le livre blanc sur le développement culturel suggère que l'Etat réglemente « la tenue des journaux, leur rigueur, leur véracité », ce qui impliquerait une sérieuse entorse à la liberté d'information. De même, le projet de loi no 1 (auquel fut substitué plus tard le projet de loi 101) mentionnait dans son préambule que « la langue française est, depuis toujours, la langue du peuple québécois », ce qui impliquait que les quelque 18% de citoyens québécois ayant pour langue maternelle une langue autre que le français n'étaient pas à proprement parler des Québécois. Enfin, l'affaire Roncarelli qui, au cours des années 50, opposa Maurice Duplessis à un restaurateur de Montréal qui s'était vu enlever son permis de vente de boissons alcooliques parce qu'il appuyait les Témoins de Jéhovah, fournit un autre exemple de la difficulté qu'ont les nationalistes à reconnaître certains droits individuels.

---

2. Hans Kohn, *The Idea of Nationalism*, p. 19.

Les nationalistes considèrent généralement que nationalisme et patriotisme sont une seule et même chose. Ainsi, selon les députés péquistes Jean-Pierre Charbonneau et Gilbert Paquette :

> Patrie et nation sont deux réalités qui se complètent et s'entremêlent au point de se confondre. L'attachement à l'une ou l'autre de ces réalités conduit au nationalisme et au patriotisme, deux autres mots qui inclinent à se confondre.[3]

Les deux auteurs affirment par ailleurs que « la thèse indépendantiste ou souverainiste... est l'héritière directe de la pensée patriotique d'avant 1840... ». [4] Cette pensée patriotique fut plus tard maintenue, selon les deux députés, par des hommes tels que Jules-Paul Tardivel, Paul Bouchard, Dostaler O'Leary, P. Chaloult et A. Pelletier. C'est la pensée de ces hommes « qui inspire les indépendantistes québécois contemporains », parce qu'elle est orientée vers l'idée d'indépendance.

La perception que les nationalistes ont des fédéralistes est aussi révélatrice de l'idée qu'ils se font de la patrie et de la nation. Les deux auteurs péquistes résument de la façon suivante la pensée des promoteurs du fédéralisme que furent George-Etienne Cartier, Henri Bourassa, Louis Saint-Laurent et Pierre Elliott Trudeau :

> ... le Canada, et non plus le Québec, constitue la patrie des Québécois... le Canada est la nation à aimer et à servir d'abord, non seulement avant tout pays étranger, mais même avant toute région particulière, avant tout groupe ethnique composant... l'indépendance dont on doit parler... c'est celle du Canada... le pouvoir politique... réside et doit continuer de résider à Ottawa.[5]

Ainsi, la patrie, la nation, l'indépendance, le pouvoir politique sont des concepts indissociables. On ne peut être patriotique sans être nationaliste, et on ne peut être nationaliste sans être indépendantiste, c'est-à-dire sans vouloir concentrer le pouvoir en un seul endroit précis. Pour un nationaliste, tous les hommes sont forcément nationalistes. Ce qui les divise, ce n'est donc pas que certains d'entre eux soient nationalistes et d'autres pas, mais bien plutôt que certains préconisent un nationalisme canadien alors que d'autres préfèrent un nationalisme québécois, que certains veulent concen-

---

3. J.P. Charbonneau et G. Paquette, *L'Option*, p. 31.
4. *Ibid.*, p. 93.
5. *Ibid.*, p. 88-9.

trer les pouvoirs à Ottawa alors que d'autres veulent les concentrer à Québec, que certains veulent donner leur affection au Canada alors que d'autres veulent la donner au Québec. Selon les nationalistes, il faut choisir entre l'un et l'autre parce que l'affection que l'on porte à l'un est autant d'affection que l'on enlève à l'autre. On ne peut pas être à la fois authentiquement québécois et authentiquement canadien. C'est pourquoi les nationalistes péquistes ne sauraient reconnaître la contribution des « canadianistes » à la promotion des intérêts des francophones. Que George-Etienne Cartier ait consacré une partie de sa carrière à élaborer le code civil du Québec en s'inspirant du code napoléonien, que Bourassa ait été le plus grand défenseur des droits linguistiques de son époque, que Louis Saint-Laurent ait contribué à mettre en place des programmes fédéraux visant à une plus grande redistribution de la richesse du pays, tout cela leur paraît négligeable. Pourtant, l'histoire nous montre ces « canadianistes » comme étant profondément attachés à la culture française au Canada. Ils étaient « fédéralistes » parce qu'ils voyaient dans l'expérience canadienne le meilleur moyen d'assurer le progrès de leurs compatriotes. Pour les nationalistes, cependant, leurs actions ne servaient pas à renforcer l'homogénéité et l'indépendance de la nation canadienne-française et, par conséquent, n'avaient à peu près aucune valeur.

Le problème se pose d'une manière tout autre pour un fédéraliste puisqu'il prend pour acquis que patriotisme et nationalisme sont des réalités d'ordres différents et que l'indépendance n'est pas en soi une valeur qu'il importe de poursuivre. Il postule en effet que le patriotisme est une valeur morale et se distingue donc du nationalisme qui est une doctrine politique. Il croit aussi que l'interdépendance que crée la technologie moderne rend vaine toute prétention à une complète indépendance nationale. Il croit enfin que son attachement à la communauté canadienne ne diminue en rien son attachement à la communauté québécoise. (L'affection qu'une personne mariée porte à son conjoint diminue-t-elle l'affection qu'elle a pour son père ou sa mère?)

La confusion entretenue par les nationalistes entre patriotisme et nationalisme les sert admirablement au point de vue politique. La plupart des hommes étant attachés à leur patrie, à leur origine, à leur histoire, les nationalistes laissent rarement passer une occasion de faire appel à ces nobles sentiments pour les associer à leur cause politique, à leur recherche du pouvoir. Or la politique et le pouvoir ont quelque chose de relatif : on ne peut les justifier que comme des moyens en vue d'une fin qui est le bien-être des citoyens. Le patriotisme est au contraire un attachement à des valeurs, un souci de continuité. Il n'a pas besoin d'être justifié par quoi que ce soit. Il se suffit à lui-même. L'attachement à une communauté n'a pas plus à se justifier que l'attachement à une personne. Confondre patriotisme et nationalisme, c'est donc introduire l'ordre des sentiments ou des valeurs dans l'ordre des moyens, c'est-à-dire du relatif. Une telle démarche risque de conduire à l'intolérance. Comment en effet peut-on croire à la « loyauté québécoise » d'un citoyen qui se dit attaché à la communauté canadienne aussi bien qu'à la communauté québécoise si on pose comme principe que l'attachement qu'il porte à la première diminue d'autant celui qu'il porte à la seconde ? Comment ne pas soupçonner d'infidélité envers la nation québécoise ceux qui ne souhaitent pas qu'elle se constitue en Etat indépendant quand on considère que l'amour du Québec conduit *nécessairement* à souhaiter l'indépendance. Les péquistes ont raison de penser qu'il est normal pour la plupart des Québécois francophones d'être attachés à leur langue et à la communauté québécoise. Ils ont tort de penser qu'il est normal pour ces mêmes Québécois de vouloir faire du Québec un Etat indépendant.

C'est en essayant d'appliquer la doctrine nationaliste au monde réel qu'on en fait le mieux ressortir les failles. Tout nationalisme, avons-nous dit, est fondé sur le principe selon lequel chaque nation (c'est-à-dire chaque communauté d'hommes réunis par une langue, une culture ou une histoire commune) doit se doter d'un Etat souverain (indépendant) pour se développer de façon « normale ». Ce principe est exprimé de façon particulièrement claire dans le programme officiel du Parti québécois où on affirme que « aucune collectivité ne peut accepter indéfiniment, sans perdre sa dignité et sans risque mortel pour sa survie, de confier à d'autres son propre destin ». Pour prendre en main son destin, chaque collectivité doit se donner comme objectif « l'accession à l'indépendance ».[6] Bref chaque nation doit coïncider avec un Etat indépendant pour former un *Etat-nation*. L'aspiration à l'indépendance politique de petites communautés fondées sur la langue ou la culture étant dictée par leur volonté de *survie*, elle doit être comprise

---

6. Programme officiel du Parti québécois (édition 1978), p. 7.

comme un phénomène « normal ». Par conséquent, l'état « normal » de l'humanité devrait être celui d'une multitude d'Etats-nations.

Si cette conception est juste, il devrait être possible de retrouver sur la planète une multitude d'Etats-nations, c'est-à-dire des Etats indépendants dont les citoyens forment une nation culturellement homogène. Or plus on cherche, plus il apparaît évident que l'Etat-nation est une fiction. En effet, même les pays considérés comme les plus culturellement homogènes (la France, l'Espagne, l'Italie, le Royaume-Uni) ont des communautés culturelles qui se distinguent de la communauté dominante. L'Espagne a ses Basques, la France ses Bretons, ses Corses et ses Occitans, l'Italie ses Siciliens et ses Piedmontais, le Royaume-Uni ses Gallois et ses Ecossais. Une stricte interprétation nationaliste ne peut pas expliquer l'existence de ces groupes, car, pour exister de façon normale, ils auraient dû former des Etats indépendants. Quant aux pays tels que le Canada, la Belgique, la Yougoslavie, la Suisse, l'Inde, l'URSS, le Nigeria, etc., où existent plusieurs nations dont chacune constitue une part importante de la population totale du pays, il faudrait conclure qu'ils sont tous « anormaux ».

Par ailleurs, si la théorie nationaliste est exacte, chaque pays dont la population est passablement homogène devrait être le résultat d'une évolution naturelle où la nation, ayant graduellement pris conscience d'elle-même, consacre son identité dans la création d'un Etat indépendant. Or ce modèle ne correspond nullement à l'expérience historique des pays même les plus culturellement homogènes. La France moderne, loin d'être une oeuvre « naturelle », fut l'oeuvre d'une succession de rois qui se créèrent progressivement un royaume par l'acquisition d'une multitude de petits territoires au moyen de mariages dynastiques, de guerres et de traités. Et la réunion de la France du Nord et de la France du Midi fut, selon Renan, « le résultat d'une extermination et d'une terreur continuée pendant près d'un siècle ». [7] Le Royaume-Uni n'existerait pas s'il n'y avait pas eu la conquête par les armes du pays de Galles, de l'Ecosse et de l'Irlande du Nord. L'Allemagne n'aurait pas vu le jour sans les efforts d'intégration d'un Bismarck. Et les Etats-Unis, dont les fondateurs parlaient pourtant la même langue que celle du

---

7. Ernest Renan, *Discours et Conférences,* Paris, Calmann - Lévy, 1922, p. 285.

gouvernement anglais, sont nés d'une guerre révolutionnaire contre la Grande-Bretagne. Les pays les plus culturellement homogènes ne sont donc pas l'oeuvre d'une certaine spontanéité naturelle. Ils ont été forgés par les guerres et les mariages d'intérêt entre les grandes familles princières. Tandis que le Canada qui, lui, n'est pas du tout homogène, est né dans la paix et le dialogue.

Il faut noter aussi que si toutes les nations de la terre décidaient d'appliquer le principe de l'Etat-nation (que certains appellent aussi le principe des nationalités), la planète deviendrait une véritable mosaïque d'Etats indépendants. Ainsi l'Inde, qui compte plus de quinze langues officielles, devrait se morceler en autant d'Etats souverains. Quant à l'URSS, on y compte cent vingt-deux « nationalités » officielles (selon les données du dernier recensement soviétique) qui deviendraient elles aussi indépendantes. Tous les pays « anormaux » où vivent ensemble plusieurs communautés différentes devraient se résoudre au démembrement. La France elle-même aurait à se départir de la Corse et de la Bretagne. Quant au continent africain, on y verrait se créer quelques milliers de pays souverains. Au Canada, il n'y aurait pas que le Québec qui se séparerait. Les Inuit, les Indiens et les anglophones de Montréal devraient eux aussi obtenir d'être politiquement indépendants, ce qui détacherait du territoire québécois tout le Nouveau-Québec ainsi qu'une partie de Montréal.

Incapable d'expliquer la formation des pays relativement homogènes, le nationalisme est également incapable d'expliquer comment les Canadiens français du Québec ont survécu jusqu'à ce jour comme nationalité, comment ils se sont taillé un des niveaux de vie les plus élevés au monde et comment ils ont influencé si profondément la vie politique canadienne. Si les Québécois francophones ont été dominés et aliénés depuis deux siècles, comme le prétendent les nationalistes, comment expliquer que deux Québécois aient occupé le poste de gouverneur général du Canada depuis vingt ans, que trois d'entre eux aient été premier ministre du Canada au XXe siècle, que la presse anglaise et la population anglophone aient pu voir se dresser à plusieurs reprises une menace de « French domination » à Ottawa? Comment expliquer qu'il y ait à Québec un gouvernement provincial qui exerce sur la vie quotidienne des Québécois une influence tout aussi grande, sinon plus grande, que celle du gouvernement fédéral? Comment expliquer enfin qu'il existe depuis la réforme du système d'enseignement du Québec une présence francophone grandissante dans les milieux d'affaires canadiens?

Les explications historiques offertes par les nationalistes démontrent combien ils sont obligés de torturer les faits pour trouver une confirmation historique de leur doctrine. Ainsi les députés Paquette et Charbonneau nous expliquent, dans *L'Option*, qu'après la rébellion de 1837-38 (à laquelle n'avait participé qu'une minorité de la population canadienne-française), le peuple canadien-français « devient pessimiste et complexé ». Une « mentalité de minoritaires et d'incapables se développe ». C'est alors que « commence... une très longue période de soumission, de modernisation, de refoulement, d'impuissance collective, une période de grande noirceur ».[8] Mais deux paragraphes plus loin, les auteurs expliquent qu'en 1841, donc à peine trois ans après la rébellion, les hommes politiques québécois réussissent à « faire triompher la cause du gouvernement responsable et (à) faire pencher l'équilibre politique en faveur des principes démocratiques ». Les auteurs notent également que l'union législative, créée en 1841 en vertu de l'Acte d'Union, « est amenée à fonctionner comme une fédération fondée sur le principe de l'égalité des deux peuples représentés ». C'est pourquoi « les Québécois... en viennent à s'accommoder assez bien de ce régime qu'ils ont réussi à modeler un peu en fonction de leurs exigences ». C'est au cours de ces années que se développe « un consensus national autour de l'articulation politique des aspirations de base *(sic)* à l'autonomie et à l'égalité ». Satisfaits de leur sort sous l'Acte d'Union, les Québécois se seraient montrés « réticents quand viennent les discussions sur un nouveau changement de régime vers 1865 ». Mais incapables de résister « à la pression exercée par la minorité canadienne », ils « sauvent ce qu'ils peuvent du naufrage de l'Union ». Deux pages plus loin, les auteurs expliquent cependant « qu'au début du nouveau régime, les Québécois, après s'être montrés réticents au projet, se montrent généralement favorables à la thèse de l'égalité dans les institutions fédérales et à la présence active et en force des leurs au sein de ces institu-

---

8. G. Paquette et J.P. Charbonneau, *L'Option*, p. 84 et 85. On ne peut manquer de noter que le mot « modernisation » est ici associé à tout un ensemble de phénomènes négatifs. Lapsus freudien?

tions comme meilleur moyen de défense de leurs intérêts nationaux ». [9]

Les deux auteurs péquistes ne semblent pas voir qu'il est incohérent de prétendre qu'un peuple devient « pessimiste », « complexé », frappé « d'impuissance collective » alors même qu'il parvient à « faire triompher... des principes démocratiques » et à s'organiser au sein d'une « fédération fondée sur le principe de l'égalité des deux peuples représentés ». Par ailleurs, ils présentent une vue tronquée de la réalité en omettant de mentionner que la rébellion de 1837-38 a été le fait des habitants du Haut-Canada tout autant que ceux du Bas-Canada et que les deux groupes luttaient au nom des même principes.

Cependant, la critique la plus sérieuse que l'on peut faire aux deux auteurs péquistes, c'est qu'ils présentent du peuple québécois une image injustement pessimiste. En effet, si on accepte leur interprétation de l'histoire, force nous est de conclure que le peuple québécois a été incapable de voir où résidait son véritable intérêt quand venait le moment de faire un choix stratégique. Le régime d'Union et le régime fédératif de 1867 y sont présentés comme des régimes que les Canadiens français auraient acceptés à contre-coeur, mais auxquels ils auraient été « généralement favorables » une fois qu'ils en eussent fait l'expérience. Cela implique que la « majorité anglophone » ou les autorités impériales auraient mieux compris que les Canadiens français eux-mêmes ce qui était dans leur intérêt. Cette image peu flatteuse d'un peuple tantôt réticent, tantôt satisfait, n'a pourtant aucun fondement historique. Car elle ignore entièrement le rôle fondamental de Louis-Hippolyte La-Fontaine dans la mise en oeuvre de la responsabilité ministérielle, laquelle constitue la pierre angulaire de l'expérience démocratique du Canada. L'interprétation de Charbonneau et Paquette passe également sous silence l'apport essentiel de George-Etienne Cartier à la création de la Confédération. Reconnaître l'importance de ces deux hommes dans la formation des institutions canadiennes, ce serait évidemment miner la crédibilité de l'interprétation voulant que le peuple québécois ait subi passivement son histoire.

On peut donc conclure que l'interprétation nationaliste de l'histoire du Québec présente une image du peuple canadien-fran-

---

9. *Ibid.*, p. 86, 87, 88 et 89.

çais qui, en plus d'ignorer le rôle que jouèrent des leaders tels que LaFontaine et Cartier, laisse supposer que ce peuple a manqué de lucidité politique dans les moments importants de son histoire. Elle aboutit à ce résultat en présupposant que la minorité nationaliste (composée de ceux qui, comme Papineau, voulaient l'annexion aux Etats-Unis) avait l'appui de la plus grande partie de la population, alors que c'est exactement le contraire qui s'est produit. Ce sont en effet des hommes tels que LaFontaine et Cartier, lesquels s'opposèrent à l'annexion et militèrent en faveur du gouvernement responsable et, plus tard, en faveur de la Confédération, qui reçurent l'appui massif de la population canadienne-française. La méprise de Charbonneau et Paquette consiste à présenter le courant « canadianiste » de LaFontaine et Cartier comme un courant minoritaire. C'est sur cette méprise que repose la thèse selon laquelle le peuple canadien-français était opprimé et nationaliste.

Le nationalisme québécois avant la révolution tranquille

Le nationalisme a été une constante de la pensée sociale du Québec depuis la génération des années 1820. Mais il connut au cours des années 1960 une transformation importante, qui devait conduire au programme électoral du Parti québécois. C'est pourquoi il convient de distinguer entre le nationalisme d'avant et celui d'après les événements qu'il est convenu d'appeler la « révolution tranquille ».

Le nationalisme antérieur à la révolution tranquille se caractérise essentiellement par son refus d'une société industrielle et urbaine. Nulle part ce refus ne fut-il mieux exprimé que dans un document publié au tournant du siècle et intitulé *Le Bréviaire du patriote canadien-français*. Ce document, signé par Mgr Paquet, décrivait dans les termes suivants le rôle du Canada français :

> Ce sacerdoce social, réservé aux peuples d'élite, nous avons le privilège d'en être investis... Notre mission est moins de manier des capitaux que de remuer des idées ; elle consiste moins à allumer le feu des usines qu'à entretenir et à faire rayonner au loin le foyer lumineux de la religion et de la pensée... Pendant que nos rivaux revendiquent... l'hégémonie de l'industrie et de la finance, nous ambitionnerons avant tout l'honneur de la doctrine et les palmes de l'apostolat.

L'idée que les Canadiens français n'avaient pas à se préoccuper d'industrialiser leur province n'était pas l'apanage du seul clergé. Elle était répandue et entretenue par toutes les élites, laïques aussi bien que cléricales. Mais il fallait bien produire pour subsister. Comme l'industrie ne devait pas être encouragée, c'est vers l'agriculture qu'on se tournait. Pendant la décennie des années 20, une revue ayant pour nom l'*Action française* (plus tard l'*Action nationale*) et dont le premier directeur fut l'abbé Lionel Groulx, se donna pour mission de propager l'idée que la vocation de la société canadienne-française était essentiellement agricole. Regrettant l'exode de nombreux Canadiens de langue française vers les Etats-Unis, Olivar Asselin y affirmait notamment que « pour garder au pays le croît naturel de la population il ne sera donc pas besoin d'industries nouvelles, s'il y a moyen d'attacher à la terre les fils de cultivateur ». [10] Quant à Victor Barbeau, il s'appliquait à montrer que s'il n'y avait pas eu d'industrie au Québec, il n'y aurait pas eu de crise économique. Il reprochait à ses compatriotes de s'être « précipités vers les feux que l'industrie allumait un peu partout sur nos collines ».[11] La même idée fut reprise, avec plus de ferveur encore en 1945, par le Père Richard Arès, s.j., (qui fut, plus tard, un des auteurs du rapport Tremblay). Celui-ci croyait en effet que la révolution industrielle

> ne pouvait avoir que des résultats désastreux pour notre peuple... (puisque) nous n'avions pas d'argent, nous n'avions pas de traditions industrielles et commerciales, nous n'avions pas de grandes écoles techniques et surtout nous n'avions pas de doctrine sociale et nationale nettement définie.

De toute façon, poursuivait le Père Arès, il ne fallait pas s'en attrister pour autant, car

> comme l'écrit (Esdras) Minville « c'est la campagne qui a constitué de tout temps et qui constitue plus que jamais, à notre époque de vie trépidante et désaxée, le réservoir où s'élaborent les forces physiques et morales d'une nation »... Du point de vue social et moral, la grande ville... consume les corps et les âmes, désorganise les familles... favorise l'éclosion des idées révolutionnaires et des troubles sociaux.[12]

Le thème de la vocation agricole du Québec fut également

10. *Action française,* mars 1921, p. 133.
11. *Ibid.,* p. 17.
12. En collaboration, *Notre question nationale,* Montréal, Editions Action nationale, 1945, vol. 1, p. 145 et suiv.

traité dans un mémoire que la Société Saint-Jean-Baptiste de Montréal présenta à la Commission Rowell-Sirois en 1938. Après avoir dénoncé le fait que les politiques fédérales aient « emprunté leurs exemples et leurs modèles de législation à l'étranger », le mémoire note que plus de 60% de la population du Québec vit dans les villes, puis, tire les conclusions suivantes:

> La famille franco-canadienne est terrienne par tradition. C'est le problème agricole qu'il faut d'abord résoudre... Une législation qui vise à améliorer le sort de l'ouvrier — bonne en soi — ne peut qu'attirer vers la ville le rural. Or, notre population est, par tradition, rurale et la législation qui peut paraître bonne, en d'autres milieux, risque dans notre province de causer des perturbations sociales très graves.[13]

La méfiance à l'égard de l'industrialisation et de l'urbanisation du Québec se maintint jusqu'à la fin des années 1950. Au cours de ces années, on commençait à reconnaître qu'une faible part seulement du territoire québécois convenait à l'agriculture. Mais on n'acceptait pas pour autant la révolution industrielle. Ainsi le rapport de la Commission Tremblay, publié en 1956, crut nécessaire de critiquer le processus d'industrialisation, parce qu'il sapait les fondements de la «civilisation traditionnelle» :

> En résumé, sous la pression d'une économie matérialiste, technique, quantitative et collectiviste, les institutions sociales, nées d'une conception spiritualiste, personnaliste et qualitative, sont ébranlées, bouleversées. L'atmosphère générale de la société est changée. La civilisation traditionnelle se dissout dans sa structure institutionnelle et sa pensée... La violence en moins, la société glisse vers un régime identique... à celui qui résulterait de l'application intégrale du socialisme (dont)... la ligne de développement (est) la civilisation dite de «masse». [14]

Tout ce qui pouvait contribuer à améliorer le sort des travailleurs urbains était donc perçu comme une atteinte à la culture et aux genres de vie de la société canadienne-française. C'est ce qui explique notamment la méfiance que les «élites» affichaient à l'égard du mouvement syndical. Dans un ouvrage où il exprime ses

---

13. SSJB de Montréal. *Les Faits sociaux dans la province de Québec*, 1938, p. 26 et 28.
14. Province de Québec, *Rapport de la Commission royale d'enquête sur les problèmes constitutionnels*, volume II, 1956, p. 82.

inquiétudes au sujet de la pénétration de certains syndicats américains (aujourd'hui regroupés au sein de la FTQ), Esdras Minville,
qui fut directeur de l'Ecole des hautes études commerciales et
doyen de la faculté des Sciences sociales de l'Université de Montréal jusqu'à la fin des années 50, notait que:

> L'areligiosité du groupe met presque fatalement les membres dans
> le cas de choisir entre deux fidélités: à leur religion ou à leur associa-
> tion professionnelle... Le syndicalisme international, étant donné
> son inspiration doctrinale, ne constitue pas plus une garantie d'ordre
> que l'individualisme révolutionnaire dont il procède, ni que le com-
> munisme vers lequel, par une pente pour ainsi dire naturelle, ses
> idées le conduisent. [15]

C'est seulement lorsqu'ils se rendirent compte que les ouvriers
québécois étaient en fait attirés vers les syndicats, même s'ils étaient
« venus d'ailleurs », que les élites canadiennes-françaises se rési-
gnèrent à reconnaître la valeur du syndicalisme. Mais alors elles
s'empressèrent de bien l'encadrer en exigeant que les syndicats
aient un caractère confessionnel. Car, « sans cette méthode, aucune
autorité ne pourra imposer à ces associations — où se mêleront des
hommes de toute opinion — les principes chrétiens... ».[16] Cet enca-
drement était jugé d'autant plus nécessaire que « c'est l'élite qui
agit sur la masse ». [17] Un autre moyen envisagé par les élites pour
bien contrôler le syndicalisme naissant était le corporatisme. La
majorité des évêques, des journalistes et des sociologues canadiens-
français se sont faits les apôtres de cette doctrine entre 1920 et 1950.
Un ouvrage, rédigé par Dostaler O'Leary (un des ancêtres spirituels des péquistes selon Charbonneau et Paquette) et ayant pour
titre Le Séparatisme, allait même jusqu'à réclamer « l'instauration
d'un régime corporatif dans l'Etat libre français ».[18]

La promotion de la vocation agricole du Québec et l'acceptation à contrecoeur du processus d'industrialisation n'étaient pas de
nature à favoriser le développement d'un système d'éducation

---

15. E. Minville, *La Législation ouvrière et le Régime social dans la province de
    Québec*, p. 19-20.

16. J. Papin Archambault, s.j., *Deuxième semaine sociale du Canada*, édité par
    l'Ecole sociale populaire, 1921, p. 387.

17. *Ibid.* p. 17.

18. Cité dans *La Grève de l'amiante* (ouvrage rédigé en collaboration, sous la di-
    rection de Pierre Elliott Trudeau) Montréal, Editions du Jour, 1970, p. 36.

adapté aux exigences du monde moderne. Cette inadéquation entre le monde de l'éducation et le monde industriel s'est manifestée à tous les niveaux d'enseignement. Ainsi l'instruction obligatoire fut perçue pendant longtemps comme une idée diabolique. Elle fut condamnée par la plupart des membres du clergé, et notamment par l'abbé Groulx en 1920 dans un ouvrage intitulé *Méditation patriotique.*[19] Ce n'est qu'en 1942, suite aux pressions exercées par le Secrétaire de la province, Hector Perrier, que le Comité catholique du Conseil de l'instruction publique adopta une recommandation en faveur de l'instruction obligatoire. Le procès-verbal de la réunion rapporte qu'à cette occasion le cardinal Villeneuve « reconnaît que l'enseignement donné jusqu'au début du siècle par la plupart de nos professeurs de philosophie sociale contestait à l'Etat le droit d'imposer l'instruction obligatoire... Il ne paraissait pas avec évidence, dans les temps passés, que l'instruction scolaire fût d'intérêt public... » [20] Un projet de loi fut élaboré par le gouvernement libéral d'Adélard Godbout pour mettre en oeuvre la recommandation du Comité. La Société Saint-Jean-Baptiste de Montréal et les députés de l'Union nationale, dirigés par Maurice Duplessis, s'opposèrent à son adoption, mais en vain.

La nature traditionaliste et anti-moderniste du système québécois d'enseignement n'échappait pas aux observateurs avertis. Au cours des années 50, Léon Lortie affirmait que le système scolaire correspondait à cette époque « à l'état d'esprit qui régnait lorsqu'il est né, peu après les troubles de 1837 ». Il notait également que le réseau des écoles secondaires affichait « une résistance foncière aux effets de l'industrialisation » et que les maîtres voyaient « dans la marée montante de l'industrialisation, le spectre du matérialisme et de l'américanisation ».[21]

Le système d'enseignement supérieur reflétait les valeurs de l'ensemble de la société et ne pouvait guère contribuer à sa modernisation. Au XXe siècle, les collèges classiques ont été le principal agent de conservation de la civilisation traditionnelle. De 1923 à 1927, 58% des diplômés des collèges affiliés à l'Université Laval et 54% de ceux des collèges affiliés à l'Université de Montréal optè-

19. Bibliothèque de l'Action française, Montréal, no 2.
20. Procès-verbaux du Comité catholique du Conseil de l'instruction publique, séance du 17 décembre 1942.
21. *Essais sur le Québec contemporain* (en collaboration), p. 188.

rent pour les ordres religieux. En 1952, la proportion était encore de 34% dans le cas des collèges affiliés à l'Université de Montréal.[22] Dans tous les collèges, l'accent était mis sur les humanités plutôt que sur les sciences pures ou les sciences appliquées, car on visait à orienter les étudiants vers des carrières « prestigieuses », c'est-à-dire vers la prêtrise, la médecine ou le droit. L'étudiant qui songeait à faire carrière dans l'industrie ou dans les affaires était perçu comme moins sérieux que ses collègues aspirant aux professions libérales. S'il avouait qu'il ambitionnait de faire des grosses affaires, il était considéré comme un vulgaire matérialiste. Entre 1879 et 1945, 40% des anciens du collège de Lévis firent carrière dans la prêtrise, 25% dans les professions libérales, 10% dans la fonction publique et 2% dans l'industrie et le commerce. Entre 1829 et 1941, 53% des anciens du collège de Sainte-Anne-de-la-Pocatière s'orientèrent vers des carrières religieuses et 35% vers le droit ou la médecine.[23] Selon l'historien Claude Galarneau, la prépondérance des professions libérales parmi les diplômés laïques s'explique par le type de formation qu'offraient les collèges :

> Les discours des éducateurs exaltaient certaines valeurs comme celle de l'autonomie dans la profession — être son propre maître et non à l'emploi d'un autre — et celle du prestige accordé à la médecine et au droit, qui procurent *avoir et pouvoir* à leurs membres et dont la société a le plus grand besoin.[24]

Même ceux qui auraient voulu se consacrer à des carrières dans l'industrie ou les affaires ne pouvaient le faire avant le tournant du siècle, en raison de l'absence d'institutions appropriées :

> Mais il aurait fallu qu'il y ait des écoles ou des facultés de sciences dans les universités de langue française. Or l'université Laval a refusé d'ouvrir une faculté de sciences appliquées *même avec l'assistance financière de l'Etat, qui lui fit des offres en ce sens en 1870.* L'Ecole polytechnique de Montréal, fondée en 1873, fut longtemps ignorée par les collèges comme l'Ecole des hautes études commerciales ouverte en 1907. Le clergé ne voyait pas d'un très bon oeil ces grandes écoles...[25]

---

22. Claude Galarneau, *Les Collèges classiques au Canada français,* Montréal, Fides, 1978, p. 151.
23. *Ibid.,* p. 151.
24. *Ibid.,* p. 154 (les italiques sont de moi).
25. *Ibid.,* p. 152 (les italiques sont de moi).

Quant à l'enseignement des sciences dans les collèges classiques, « ce n'est qu'en 1935, après une résistance opiniâtre des collèges et après des polémiques célèbres, que les programmes (y) feront une meilleure place... »[26] Dans un mémoire qu'elle soumettait à la Commission Tremblay en 1954, la Fédération des collèges classiques soutenait que le système des options était contraire à la tradition pédagogique des collèges dont la vocation devait être orientée vers « l'unification des élites ». Dans le mémoire qu'elle soumit huit ans plus tard à la Commission royale d'enquête sur l'enseignement (la Commission Parent), elle s'opposa fermement à la création d'un ministère de l'éducation, parce que l'Etat n'avait pas, selon elle, à se mêler de questions d'enseignement et de formation.

Dans l'ordre politique, le nationalisme d'avant la révolution tranquille préconisait un fédéralisme classique où les provinces pouvaient agir dans une indépendance quasi complète par rapport au gouvernement fédéral. Il s'agit d'une forme de fédéralisme « autonomiste » qui ignore complètement les interdépendances que crée la civilisation moderne. Cette conception du fédéralisme a été exprimée de façon claire et précise dans le rapport de la Commission Tremblay et a été reprise par la plupart des gouvernements qui ont succédé à celui de Maurice Duplessis. [27]

Agriculturiste dans l'ordre économique, anti-moderniste dans l'ordre culturel, élitiste dans l'ordre social, anti-étatiste et autonomiste dans l'ordre politique, le nationalisme au Québec avant la révolution tranquille constituait un refus global de toute évolution.

Le nationalisme québécois depuis la révolution tranquille

Ce qu'on a appelé la révolution tranquille des années 60 fut essentiellement une transformation radicale de l'idée que les Québécois se faisaient d'eux-mêmes et de leur place dans le monde. Au cours de ces années, les Québécois renoncent explicitement à la conception terrienne du Québec et embrassent la notion d'industrialisation. Leur nouvelle volonté de participer pleinement à la civilisation moderne, qui s'élabore progressivement depuis deux siècles en Occident, se traduisit par de grandes décisions politiques telles que

---

26. *Ibid.*
27. Comme ce rapport fait l'objet de tout le chapitre V, il ne sera pas nécessaire d'y revenir ici.

la nationalisation de l'industrie hydro-électrique et la mise à jour du système d'éducation.

Une transformation aussi radicale ne pouvait pas ne pas provoquer une révision profonde de la pensée nationaliste. Cette transformation s'est opérée tout au long des années 60 et donna naissance à deux courants qui se réclament du nationalisme mais qui n'en ont pas moins des vues politiques complètement opposées. L'un est incarné pas le Parti libéral du Québec qui, tout en demeurant fédéraliste, a gardé du nationalisme une certaine tradition autonomiste. Quant au second courant, il s'incarne dans le Parti québécois. Celui-ci a dépouillé le nationalisme traditionnel de son habit « agriculturiste » ou traditionaliste et propose essentiellement de remplacer la notion d'autonomie provinciale par celle d'indépendance nationale. Bref, il veut rompre le lien fédéral unissant le Québec au reste du Canada en appliquant au Québec le principe de l'Etat-nation.

Les conceptions de l'homme et de l'histoire sur lesquelles se fondent le nationalisme péquiste ont déjà été analysées[28] et n'ont pas à être reprises ici, sinon pour souligner jusqu'à quel point certaines d'entre elles s'apparentent à celles qui ont inspiré le nationalisme traditionnel. Il existe certes des différences importantes entre le nationalisme d'antan et le nationalisme péquiste. L'un était anti-industrialiste, l'autre est plus favorable à l'industrie. L'un était anti-étatiste, l'autre est super-étatiste. L'un était ultramontain, l'autre est laïque.

Mais au-delà de ces différences on retrouve de profondes similarités entre les deux. Le nationalisme traditionnel croyait que la personnalité du Québec s'épuisait en deux mots : catholique et français. Et de ces deux qualificatifs, celui de catholique était considéré comme le plus important. Tout ce que l'on pouvait dire au sujet des Québécois se ramenait essentiellement à ces deux caractéristiques, parce qu'elles commandaient une certaine façon de concevoir « l'ordre de la vie temporelle et les relations de l'homme avec la société ». Tout ce qui intéressait la vie des Québécois était donc subordonné à cette double caractéristique. Pour un péquiste la caractéristique religieuse est abandonnée. De sorte que la personnalité des Québécois ne se réduit plus qu'à une seule caractéris-

---

28.   Voir chapitres I et IX.

tique: la langue française. Et tout comme les traditionalistes considéraient que les mots « catholique » et « français » épuisaient la personnalité du Québécois d'avant 1960, les péquistes considèrent que le mot « français » épuise la personnalité du Québécois d'aujourd'hui. « Au coeur de cette personnalité se trouve le fait que nous parlons français. *Tout le reste* est accroché à cet élément essentiel, en découle ou nous y ramène infailliblement... », affirment les fondateurs du Parti québécois.

Ce que les deux versions du nationalisme ont en commun, c'est donc le fait qu'ils subordonnent et réduisent toute la personnalité des Québécois à un ou deux caractères. De là provient leur inquiétude commune à propos de l'assimilation culturelle. En effet, si tous les aspects de la personnalité d'un peuple se ramènent à un ou deux traits essentiels qui expliquent tous les autres, il s'ensuit que les individus composant ce peuple devraient « normalement » être homogènes et *unanimes* en tout ou à peu près. Toute évolution dans le sens de la diversité des opinions, des intérêts et des aspirations, bref, tout mouvement vers un certain pluralisme doit alors être perçu comme une menace à l'intégrité de la « personnalité » du peuple. D'où les réactions d'autoritarisme et d'élitisme que l'on trouve aussi bien dans l'ancien que dans le nouveau nationalisme. D'où aussi leur refus commun de tout ce qui est étranger.

Mais, demandera-t-on, le nouveau nationalisme ne se veut-il pas ouvert sur le monde extérieur? Sa volonté de créer une association entre un Québec indépendant et ce qui restera du Canada, les voyages de René Lévesque aux Etats-Unis, les liens privilégiés que l'on veut garder avec les pays francophones, et notamment avec la France, ne sont-ils pas autant de témoignages d'un esprit d'ouverture au monde? Pour que ces exemples soient perçus comme l'expression d'une ouverture d'esprit, il faudrait qu'ils s'insèrent dans une vision cohérente. Or ce sont autant d'exemples qui contredisent d'autres éléments du programme péquiste. Et pour montrer jusqu'à quel point les péquistes ont de la difficulté à s'ouvrir au monde, il suffit de comparer les divers éléments de leur programme.

Par exemple:

    a) le Parti québécois dit qu'il ne veut pas « briser » le Canada. Mais il propose que le Québec devienne souverain, c'est-à-dire un pays indépendant et séparé du Canada dont les citoyens ne seraient plus représentés au Parlement d'Ottawa.

b) Le Parti québécois dit qu'il veut remplacer le lien fédéral unissant le Québec au reste du Canada par un arrangement comparable à celui du marché commun européen. Mais les fondateurs de cet organisme l'ont conçu comme moyen de faire la transition vers une fédération européenne.

c) Le Parti québécois affirme que toute la personnalité des Québécois s'explique ou se ramène au fait qu'ils parlent le français. Mais il accepte que son chef proclame dans ses voyages aux Etats-Unis que les Québécois participent pleinement à la culture « nord-américaine », laquelle est pourtant dominée par les anglophones.

d) Le Parti québécois voit dans le lien fédéral un instrument de la « domination canadienne-anglaise » sur le Québec. Mais il encourage son chef à faire des discours pour apaiser les craintes des financiers américains qui contrôlent pourtant plus l'industrie québécoise que les Canadiens anglais.

e) Le Parti québécois se dit le défenseur de la langue française mais il est disposé à laisser mourir les minorités françaises des autres provinces.

f) Le Parti québécois reproche au Canada anglais d'avoir lésé non seulement les intérêts économiques des Québécois « mais surtout et bien plus profondément notre être, notre caractère, notre valeur » de manière à faire des Québécois des « errants éventuels... spoliés d'eux-mêmes et débiteurs aux mains des huissiers de l'histoire ».[29] Mais il propose qu'une fois devenu indépendant, le Québec s'associe économiquement avec ce peuple spoliateur.

g) Le Parti québécois prétend que tout ce qui provient d'Ottawa est étranger à sa culture. Mais il cherche dans des pays tels que les Etats-Unis, la Grande-Bretagne, la Suède et l'Allemagne des modèles à imiter.

h) Le Parti québécois soutient que les politiques culturelles

---

29. Pierre Vadeboncoeur, *Le Devoir*, 28 mars 1979, p. 4.

du gouvernement fédéral sont nocives pour le Québec. Mais il reconnaît que Radio-Canada et l'Office national du film ont joué un rôle déterminant dans le « réveil » des années 60.

i) Le Parti québécois déclare le Canada « satellite économique, satellite politique, satellite culturel »[30] des Etats-Unis. Mais il propose une séparation politique qui affaiblirait et le Québec et le Canada, les rendant ainsi plus vulnérables à la satellisation par les Etats-Unis ; puis il propose de s'associer économiquement avec ce satellite.

j) Le Parti québécois reconnaît dans le livre blanc sur le développement culturel que les Québécois se sont repliés sur eux-mêmes et ont boudé « jusqu'à une époque qui n'est pas si lointaine » la révolution industrielle. Mais dans le livre blanc sur la langue, il reproche aux anglophones « une tendance à vouloir assurer... comme une chasse gardée, les meilleurs emplois et les meilleurs postes en y maintenant l'anglais comme une nécessité et comme une barrière ».[31]

Pour que l'on puisse croire à l'ouverture d'esprit des péquistes, il faudrait qu'ils expliquent comment on peut résoudre ces contradictions. Mais tant qu'ils soutiendront que *tout le reste* est accroché » au fait que les Québécois parlent français, que tout se ramène à une seule dimension, la langue, ils ne pourront pas les résoudre.

---

30. Voir le livre blanc sur *La Politique québécoise de développement culturel,* p. 25.

31. Québec, *La Politique québécoise de la langue française* (présenté par Camille Laurin), p. 31.

CHAPITRE X

Que veulent les Québécois?

> « When the conditions exist for
> the formation of efficient and
> durable federal unions, the
> multiplication of them is always a
> benefit to the world. »
>
> JOHN STUART MILLS

Ce que veulent d'abord les Québécois, c'est participer pleinement au monde moderne tout en conservant leur identité. Là-dessus fédéralistes et péquistes sont d'accord. Ce qui les divise, entre autres choses, c'est le choix des moyens pour réaliser cet objectif. Les premiers disent que c'est par la conservation du lien fédéral, lequel fait que chaque citoyen québécois est également un citoyen canadien. Les seconds disent que c'est au contraire par la rupture du lien fédéral unissant le Québec au reste du Canada et le remplacement de ce lien par des rapports d'Etats indépendants. Quelle que soit la formulation de la question posée à l'occasion du référendum, c'est l'une de ces deux solutions que les Québécois seront appelés à choisir.

Comme toutes les sociétés qui ont été influencées par le catholicisme de la Contre-Réforme, les Québécois francophones ont mis beaucoup de temps à accepter consciemment les valeurs de la civilisation industrielle. Dans un ouvrage intitulé *Le Mal français*, Alain Peyrefitte rappelle qu'entre les douze pays de culture protestante les plus développés et les douze pays à majorité catholique les plus développés, le rapport de niveau de vie est presque du simple au double. En 1974, le revenu national par habitant du premier groupe était de \$4 000, celui du second de \$2 500.[1] Peyrefitte note

---

1. Les douze pays que Peyrefitte classe dans la tradition protestante sont : Etats-Unis, Suède, Canada, Suisse, Danemark, Allemagne fédérale, Norvège, Australie, Pays-Bas, Finlande, Royaume-Uni, Nouvelle-Zélande. Les pays à majo-

par ailleurs que « les pays protestants arrivent de très loin en tête pour la recherche scientifique ». Puis il ajoute :

> Mais le développement de ces pays n'est pas seulement affaire économique, technique et scientifique. Il ne fait qu'un avec leur progrès politique et social. C'est dans les pays marqués par le protestantisme que les bas revenus, les inégalités, le manque d'hygiène, la censure ont le plus tendu à disparaître ; que le niveau de *consensus* démocratique est le plus élevé : que le taux de mortalité infantile et d'analphabétisme sont le plus bas ; que la démocratie plonge ses racines les plus profondes. Ce ne sont pas seulement des pays industrialisés ; ce sont des pays où un certain nombre de constantes—sociales, politiques, juridiques, culturelles—, unies par des corrélations mystérieuses, constituent un phénomène complet de civilisation.[2]

Peyrefitte souligne enfin que dans tous les pays où coexistent une communauté protestante et une communauté catholique—Allemagne, Irlande, France et Canada—les membres de la communauté protestante ont un statut économique supérieur à celui des catholiques. Même en France où les protestants ont pourtant un poids démographique négligeable, on constate que « dans les secteurs essentiels de la vie économique..., la proportion des descendants des huguenots demeure sans commune mesure avec l'importance démographique de la communauté réformée ».[3] Ces observations conduisent le ministre français à reprendre et à compléter la thèse de Max Weber sur l'importance de la culture comme facteur du développement économique. Ainsi, Peyrefitte conclut en ces termes :

> Dans les pays réformés, on constate l'affranchissement de toute tutelle de droit divin, la confiance faite aux individus et aux groupes, le goût de la recherche scientifique, de la technique, l'élan donné à

---

rité catholique sont : France, Belgique, Autriche, Italie, Irlande, Pologne, Argentine, Venezuela, Espagne, Chili, Portugal, Uruguay. Cette classification est quelque peu arbitraire : le Canada et l'Allemagne fédérale ont en effet deux traditions religieuses de sorte qu'on pourrait les placer dans une catégorie à part. A noter que parmi les douze pays que Peyrefitte inclut dans la catégorie protestante, cinq sont de structure fédérale, alors que dans les douze pays catholiques, seul le Venezuela a une telle structure.

2. *Ibid.*, p. 143.

3. *Ibid.*, p. 149. A propos du Québec, Peyrefitte écrit : « Par pudeur, on feint de croire que le drame québécois est « linguistique ». Mais l'anglais n'est que le signe extérieur d'une mentalité et d'une société dynamique, le français d'une mentalité et d'une société sur la défensive ». (p. 151)

l'initiative, la *mentalité économique*. Dans les pays contre-réformés, on constate la soumission à une autorité hiérarchique, la défiance à l'égard des individus et des groupes, une organisation hostile à l'autonomie et à l'innovation, le *préjugé anti-économique*.[4]

Comment ne pas voir dans ces mots une description à peu près parfaite de ce qui a distingué pendant si longtemps les Canadiens de langue française et ceux de langue anglaise? N'en disent-ils pas davantage sur l'infériorité économique des Québécois francophones que toutes les tentatives d'explication des économistes nationalistes qui cherchent à imputer aux « autres » la responsabilité de nos problèmes économiques. Ce que Peyrefitte appelle le « mal français » est en réalité un mal auquel la plupart des sociétés imprégnées de la tradition catholique semblent particulièrement vulnérables. Ses observations rejoignent du reste celles de certains historiens canadiens-français. Le professeur Albert Faucher, de l'Université Laval, a résumé comme suit les politiques fédérale et provinciale au XIXe siècle :

> L'expansion vers l'ouest, la grande politique nationale inaugurée par Macdonald... manifestent un comportement politique d'inspiration pécuniaire. La politique provinciale du Québec, au contraire, du moins considérée dans ses grands gestes du XIXe siècle, affirme : des prérogatives féodales exploitées par une bureaucratie bipartite : les politiciens et les curés... Au niveau des classes dirigeantes..., la plupart prêchaient l'attachement au sol, la poursuite d'un mode de vie rural à tout prix.[5]

Certes on ne saurait attribuer au gouvernement fédéral seul le crédit du développement industriel du Québec. Ce développement fut également le résultat d'une expertise technologique et de capitaux provenant de la Grande-Bretagne d'abord, puis des Etats-Unis. Mais ce qu'on ne saurait nier, c'est que l'industrialisation du Québec et, partant, la prospérité relative dont les Québécois jouissent aujourd'hui, est essentiellement l'oeuvre d'individus qui ne sont pas nés au Québec. Les Québécois francophones n'ont pas été

---

4. *Ibid.,* p. 162 (les *statistiques,* sont de Peyrefitte). Il n'est, bien sûr, ni dans l'intention de Peyrefitte (de son propre aveu), ni dans la mienne d'accuser le catholicisme comme tel d'être anti-économique. Ce qui est en question ici, c'est une certaine école de pensée qui a marqué la tradition catholique à une certaine époque, mais qui ne met pas en cause les dogmes de la foi catholique.

5. Albert Faucher, *Histoire économique et Unité canadienne,* Montréal, Fides, p. 155-6.

les principaux artisans de leur prospérité. En soulignant que le « terroir » québécois est devenu, sous l'influence du capitalisme américain, un bassin de ressources naturelles propre à alimenter l'industrie, Albert Faucher observe que

> Cette transformation s'était préparée lentement, en laboratoire, et en dehors du Québec. Elle était le produit du génie scientifique que la société traditionnelle de type bureaucratique, plutôt tournée vers les belles-lettres, ne s'était guère souciée de produire. Mais ce qu'on n'avait pu produire, on dut l'accepter du dehors et réadapter l'enseignement à l'avenant de nouvelles exigences avec la collaboration de scientistes naturellement entraînés à l'étranger. C'était, du jour au lendemain, passer de la féodalité au capitalisme et tourner le dos au vieux quartier latin.[6]

Au fond, ce que les nationalistes, aussi bien ceux d'hier que ceux d'aujourd'hui, ne veulent pas reconnaître, c'est que les Québécois doivent une bonne part de leur bien-être économique, de leurs connaissances et de leur expérience de la vie moderne à d'autres que des « parlant-français ». Il y a chez eux quelque chose qui ressemble à un *blocage*. Dans toute littérature nationaliste, aussi bien celle d'avant que celle d'après la révolution tranquille, on ne trouvera aucun jugement positif sur la contribution que les gens « venus d'ailleurs » ont pu faire à l'avancement de la société québécoise. Tout ce qui n'est pas proprement québécois est perçu comme « étranger », « autre », « aliénant », « source de dépendance », « emprunt », « dépossession ». Jamais la réalité « empruntée » n'est perçue comme pouvant enrichir le patrimoine québécois, comme pouvant devenir « nôtre ». La mentalité nationaliste est essentiellement une mentalité d'*assiégé*. Il faut ériger des remparts pour bloquer les influences « venues d'ailleurs », « disposer des filtres » pour ne pas être noyés « devant le flot international de la culture de masse ».[7] Les nationalistes ne veulent pas reconnaître l'apport positif de l'étranger. Comme le monde moderne est toujours fait de certains apports étrangers, ils sont incapables de l'assumer.

La modernisation d'une société entraîne inévitablement une montée de l'individualisme. Elle implique en effet une élévation du niveau moyen de scolarité, et, par conséquent, une plus grande in-

---

6. *Ibid.*, p. 158-9.
7. Québec, *La Politique québécoise du développement culturel*, p. 13.

dépendance des esprits. Elle suppose également des échanges économiques, technologiques, intellectuels entre les frontières nationales. L'horizon de l'individu n'est donc plus limité par la société à laquelle il appartient. Tout en restant attaché à cette société, il peut la situer ou la juger par rapport à des ensembles plus vastes, à des courants extérieurs. Les influences du monde extérieur tendent naturellement à rendre les individus plus autonomes par rapport à leur milieu immédiat. L'individualisme est donc une valeur inhérente au monde moderne. Le nationalisme est un refus de cet individualisme. Il veut stopper l'évolution individualiste et recréer les conditions d'homogénéité et d'unanimité qui existaient avant la modernisation. Il veut la fusion des individus dans le groupe.

Autrefois, on disait que la fusion se faisait par le catholicisme. Aujourd'hui, on dit qu'elle se fait par la langue. Que ce soit par l'un ou l'autre, le but est le même. Ce qui importe, c'est de noter que le nationalisme est d'abord une volonté de fusionner les individus. La religion ou la langue ne sont que des instruments de cette volonté. Ce n'est pas la religion ou la langue qui crée le nationalisme. C'est la volonté de fusion. C'est elle qui est première. Et pour s'exécuter, elle utilise la langue ou la religion, selon les goûts de l'époque. Langue et religion sont donc asservis par le nationalisme — la volonté de fusion — dans le but de refaire, à l'aide du pouvoir politique, l'ancienne unanimité que la modernisation a fait éclater. En ce sens, le nationalisme est réactionnaire : il réagit contre. C'est pourquoi il se manifeste partout à peu près de la même façon. Voici comment un célèbre Français décrivait notre situation :

le *Québec*, peuplé d'hommes ardents et irascibles, s'irrite et s'inquiète. Il tourne avec chagrin ses regards sur lui-même ; interrogeant le passé, il se demande chaque jour s'il n'est point opprimé. Vient-il à découvrir qu'une loi *fédérale* ne lui est pas évidemment favorable, il s'écrie qu'on abuse à son égard de la force ; il réclame avec ardeur, et si sa voix n'est point écoutée, il s'indigne et menace de se retirer d'une société dont il a les charges sans avoir les profits. Si les changements dont j'ai parlé s'opéraient graduellement, de manière que chaque génération ait au moins le temps de passer avec l'ordre des choses dont elle a été le témoin, le danger serait moindre ; mais il y a quelque chose de précipité, je pourrais presque dire de révolutionnaire, dans le progrès que fait la société *québécoise*... il leur semble qu'ils *(les Québécois)* s'appauvrissent, parce qu'ils ne s'enrichissent pas si vite que leur voisin, et ils croient perdre leur puissance parce qu'ils entrent tout à coup en contact avec une puissance plus grande que la leur: ce sont donc leurs sentiments et leurs passions qui sont blessés plus que leurs intérêts...On veut *la fédération*; mais réduite à une ombre: on la veut forte en certains cas et faible dans tous les autres... comme si cette alternative de débilité et de vigueur était dans la nature.

Qu'on se rassure, le Français en question n'a pas eu une influence trop grande sur l'opinion publique française au cours des dernières années. Il s'appelle Alexis de Tocqueville. Et il écrivait ces lignes durant les années 1830, non pas à propos du Québec, mais à propos des Etats du Sud américain (seuls les quatre mots en italique ont été changés pour dégager la ressemblance entre la situation des Etats sudistes au siècle passé et celle du Québec d'aujourd'hui).[8] Comment ne pas y voir malgré tout une description fidèle de ce qui se passe aujourd'hui au Québec. Si la ressemblance est si frappante, c'est que le nationalisme est foncièrement le même partout où il se manifeste. Il procure un certain apaisement aux inquiétudes et aux tensions que suscite toujours le processus de modernisation dans une société habituée à vivre dans l'unanimité. Cet apaisement est obtenu en offrant une explication simple et claire à tout ce qui peut susciter le mécontentement. Y a-t-il des inégalités ou des injustices? C'est à cause des *autres*. Toujours à cause des autres. Ceux-ci peuvent être tantôt les « Yankees », tantôt les « juifs », tantôt les « protestants », tantôt les « Anglais ». Comme le problème est causé par les autres, on croit que c'est en se séparant d'eux qu'on pourra le solutionner. Le nationalisme est un moyen de sécuriser les esprits inquiets, les « hommes ardents et irascibles » dont parle Alexis de Tocqueville.

Ce que les nationalistes ne sauraient accepter, c'est qu'il n'y a aucune honte à reconnaître l'apport des « autres ». Tous les peuples font des « emprunts » (même le principe de l'Etat-nation dont les péquistes se réclament est un « emprunt »). Comme le fait remarquer le sociologue Raymond Aron: « La plupart des cultures se sont développées non à la manière d'une monade de Leibniz, sans rien recevoir ni donner, mais, au contraire, en multipliant les emprunts et en transformant les idées, coutumes et croyances empruntées.»[9] Le progrès dans quelque domaine que ce soit est impossible à moins qu'il y ait emprunt. L'indépendance nationale ne

---

8. Alexis de Tocqueville, *De la démocratie en Amérique,* Collection 10/18, p. 201.
9. Raymon Aron, *L'Opium des intellectuels,* Gallimard, 1955, p. 346.

changera rien à cet égard. La capacité du Québec d'adapter les emprunts à sa culture ne s'en trouvera pas modifiée pour autant.

Montesquieu, Voltaire, Alexis de Tocqueville dans les siècles passés, Jean Monnet, Alain Peyrefitte, Raymond Aron, Jean-Jacques Servan-Schreiber, André Siegfried et plusieurs autres Français au XXe siècle ont exprimé leur admiration pour certaines institutions économiques et politiques des pays anglo-saxons, à tel point qu'ils les proposèrent souvent comme des modèles dont leur pays devrait s'inspirer. Et aucun Français n'a reproché à ces hommes de vouloir inféoder la France à quelque puissance étrangère. Pourquoi n'en serait-il pas de même pour les Québécois, qui reconnaissent explicitement que la société québécoise a retiré d'immenses avantages de sa coexistence avec le Canada anglais au sein du cadre fédéral?

La chose est d'autant plus raisonnable que les Canadiens de langue française qui ont voulu participer activement à l'élaboration des institutions politiques canadiennes ont pu le faire. Car il y a toujours eu un courant de pensée « canadianiste » dans la tradition québécoise. Ce courant est né à peu près à la même époque que le courant nationaliste, soit dans les premières décennies du XIXe siècle. Le régime de l'Union du Haut et du Bas-Canada institué en 1840-41 fut l'oeuvre d'une collaboration étroite entre les réformistes du Bas-Canada dirigés par Louis Hippolyte LaFontaine et ceux du Haut-Canada dirigés par Robert Baldwin.[10] C'est au cours de cette période qu'apparurent les éléments d'un consensus qui devait aboutir en 1867 à la mise en place du régime fédéral dans lequel nous vivons aujourd'hui. Ce régime fut l'oeuvre particulière de deux hommes dont l'un, George-Etienne Cartier, fut la voix autorisée de la société canadienne-française, alors que l'autre, John A. MacDonald, fut celle de la société canadienne-anglaise. Le protocole d'entente qu'ils élaborèrent avec les autres pères de la Confédération compte aujourd'hui plus de cent douze ans, ce qui en fait la plus ancienne constitution fédérale au monde après celle des Etats-Unis et l'une des dix plus anciennes constitutions démocratiques au monde. Si la valeur d'une constitution se mesure à sa du-

---

10. Pour une analyse vivante et détaillée des négociations qui menèrent à l'établissement du régime d'Union, voir le livre de Jacques Monet, *The Last Canon Shot*, Toronto Univ. Press, 1969. (Il faut déplorer le fait que cet important ouvrage n'ait pas encore été traduit en français.)

rée, il faut donc reconnaître que nos ancêtres nous ont légué une oeuvre ayant un certain mérite. Au cours de ces cent douze années, les Québécois ont pris une part active au gouvernement du Canada. En effet, il n'est pas une période de l'histoire canadienne où ils ne jouèrent un rôle important à Ottawa. A George-Etienne Cartier succédèrent les Hector Langevin, Adolphe Chapleau, Wilfrid Laurier, Raoul Dandurand, Ernest Lapointe, Louis Saint-Laurent, Maurice Lamontagne, Guy Favreau, Jean Marchand, Gérard Pelletier, Marc Lalonde, Jean Chrétien, Pierre Elliott Trudeau. Tous ces Québécois seraient-ils moins Québécois que leurs homologues provinciaux pour la simple raison qu'ils se méritèrent, en plus de l'appui du Québec, celui de tous les autres Canadiens?

Tout comme il y a une continuité autonomiste ou séparatisante au Québec, il y a donc aussi une continuité « canadianiste ». Et aucun de ces deux grands courants ne peut prétendre être plus représentatif que l'autre de la société québécoise, parce que aucun n'a été plus soumis que l'autre à la règle démocratique. Louis Saint-Laurent n'était pas moins aimé des Québécois que Maurice Duplessis. Et plusieurs Québécois ayant voté pour René Lévesque lors de l'élection provinciale de 1976 avaient voté pour Pierre Elliott Trudeau lors de l'élection fédérale de 1974. C'est qu'en effet l'électorat québécois a toujours été marqué au coin de l'ambiguïté. « Bleu à Québec, rouge à Ottawa », disait-on autrefois. Et cela est encore vrai aujourd'hui. Que voulons-nous, nous les Québécois? On pourrait répondre que nous voulons être totalement Québécois, totalement Canadiens et totalement Nord-Américains. Mais on ne peut pas être les trois à la fois sans que l'image de notre personnalité que présentent les péquistes ne soit remplacée. Nous ne pourrons jamais avoir un style de vie purement et exclusivement québécois et participer en même temps à la civilisation moderne. L'intégration à cette civilisation exige des ajustements culturels qui sont parfois difficiles. Mais c'est le lot de toutes les sociétés qui passent de l'état préindustriel à l'état industriel.

Reconnaître les exigences culturelles du monde industriel, c'est reconnaître aussi que le fédéralisme n'a rien d'un instrument de domination. Il est plutôt un instrument politique particulièrement bien adapté aux interdépendances que crée le monde moderne. Que peut vouloir dire en effet la souveraineté nationale d'un pays à une époque ou sa croissance économique et le bien-être de ses citoyens dépendent tout autant sinon plus de la performance de l'économie internationale que des facteurs propres à ce pays? Que peut signifier la souveraineté nationale des pays industrialisés de l'Occident à une époque où leurs approvisionnements en matières premières et en énergie sont contrôlés par des pouvoirs qui leur sont étrangers? Que vaut la souveraineté nationale à une époque où la sécurité militaire ne dépend plus que de l'équilibre des super puissances? Tous ces phénomènes d'interdépendance appellent des structures politiques qui dépassent les frontières nationales. Il y a aujourd'hui un déséquilibre dangereux entre l'ordre du pouvoir réel et l'ordre du pouvoir juridique. Pour réconcilier les deux, il faut dépasser la notion de souveraineté nationale. Si cela est vrai pour l'ensemble des pays industrialisés, ce l'est encore doublement pour une communauté de 6 millions d'habitants vivant à côté d'un géant de 220 millions d'habitants. Il est pour le moins étonnant que les péquistes, qui se considèrent par ailleurs des adeptes de la social-démocratie, refusent de reconnaître que, d'un point de vue stratégique, toute initiative qui tend à briser le lien fédéral canadien va à contre-courant des besoins de notre époque. Alors que les liens entre les pays industrialisés tendent à se resserrer de plus en plus à travers des organismes internationaux tels que le GATT, l'Agence Internationale de l'Energie, la Communauté Economique Européenne, ils proposent de desserrer les liens qui unissent le Québec au reste du Canada. Bref, alors que la majorité des gouvernants dans le monde occidental reconnaissent que les solutions aux problèmes de notre époque ne peuvent plus être strictement nationales et qu'elles appellent un cadre supranational, les péquistes fondent toute leur pensée sur le principe de l'Etat-nation.

Si plusieurs chefs de gouvernement européens ont reconnu la nécessité de fédéraliser l'Europe, comment ne pas reconnaître la nécessité de maintenir le lien fédéral unissant le Québec au reste du Canada? A cette question aucun leader péquiste n'a jamais pu répondre. C'est celle pourtant que tous les Québécois devraient se poser le jour du référendum.

Comment ne pas voir que le Canada est au fond une expérience unique qui pourrait un jour inspirer d'autres pays? Les fondateurs de la nation américaine projetaient de créer une nouvelle société inspirée de la pensée rationaliste du XVIIIe siècle. Leurs maîtres à penser étaient Voltaire, Rousseau, Hume et Locke. Ils ont, de fait, créé une société qui n'avait aucun précédent: ils ont donné au monde un modèle républicain et un modèle capitaliste.

Les fondateurs du Canada avaient d'autres ambitions plus modestes : ils étaient fidèles à leur passé, aux traditions européennes. Ils adoptèrent la monarchie et une conception de l'Etat et de l'ordre social qui avait fait ses preuves en France et en Angleterre. Ils n'avaient pas le sentiment de faire quelque chose de révolutionnaire. Mais leur ambition n'était-elle pas plus conforme aux besoins des pays nés depuis la Seconde Guerre mondiale que celle des pères fondateurs de la puissance américaine ? N'est-ce pas d'abord d'un mode de gouvernement fondé sur l'esprit de respect et de tolérance, sur une volonté d'assurer l'unité dans la diversité que les nouveaux pays d'Afrique, d'Asie et d'Amérique latine ont besoin ? Le Canada ne doit-il pas être un modèle pour tous ces pays, lui qui a su se moderniser tout en restant fidèle à un certain patrimoine spirituel ? En restant liés au reste du Canada, les Québécois n'ont-ils pas quelque chose d'original à offrir au reste du monde ? Les efforts en vue de créer un fédéralisme souple et respectueux des diversités culturelles ne sont-ils pas une oeuvre plus originale que ceux visant à construire un nouvel Etat-nation ?

Les Canadiens sont bien acceptés par l'ensemble des nouveaux pays qui ont vu le jour depuis la Seconde Guerre mondiale. On ne les craint pas, parce qu'ils ne constituent pas une grande puissance et qu'ils ne peuvent pas imposer leur volonté aux autres. Ils ne peuvent que témoigner de la possibilité de réaliser l'unité dans la diversité. Ils ne peuvent que *proposer* des choses. Ce qui fait la faiblesse du Canada fait aussi sa force. Rarement pays aura-t-il été aussi gratifié par la Providence : territoire de dimension continentale touchant à trois océans, niveau de vie parmi les plus élevés au monde, abondance de richesses naturelles, absence d'invasion militaire, expérience éprouvée de démocratie parlementaire. N'est-ce pas là quelque chose qu'il nous faut considérer avec respect et fierté ?

CHAPITRE XI

Quel est l'enjeu du référendum ?

> « Si la tolérance naît du
> doute, qu'on enseigne à douter
> des modèles et des utopies,
> à récuser les prophètes
> de salut, les annonciateurs
> de catastrophes. »
>
> RAYMOND ARON

> « Attribuer ses malheurs à peu
> près exclusivement à une
> domination étrangère répond
> chez les peuples à un penchant
> universel et élémentaire... Si cher
> qu'on le paie parfois, le
> nationalisme n'en demeure pas
> moins le thème le plus facile et le
> plus fructueux de toute
> démagogie. »
>
> JEAN-FRANÇOIS REVEL

L'enjeu du référendum promis par le Parti québécois, ce n'est pas seulement un certain arrangement politique pouvant convenir au Québec —le fédéralisme ou la souveraineté-association —, c'est aussi et surtout une certaine conception de la liberté, c'est-à-dire une certaine conception des rapports entre l'homme et la société. Fédéralisme et souveraineté-association sont en effet deux hypothèses qui procèdent de deux conceptions différentes de ces rapports.

La conception que les souverainistes ont de la liberté est celle que l'on retrouve dans toutes les explications métaphysiques de l'histoire telles que le marxisme, le nationalisme, le fascisme ou l'ultramontanisme. Selon ces explications, il existe des lois universelles du développement historique qui expliquent la totalité de l'histoire. Connaître ces lois, c'est connaître ce qui, dans le déroulement de l'histoire, est « nécessaire » ou « normal ». Le « devenir humain » ne s'explique que par rapport à une « nécessité historique ». Cette nécessité agit tantôt par une classe sociale (le marxisme), une race (le fascisme), une nation (le nationalisme) ou une église (l'ultramontanisme).[1] La liberté ne peut donc se concevoir que comme acceptation de cette nécessité. Puisque les événements répondent à des lois universelles et que l'histoire suit un cours « normal » (c'est-à-dire conforme à la nécessité historique), la liberté consiste à accepter l'ordre de la nécessité. Les lois de l'histoire font que chaque société a un destin, qu'elle est *pré-destinée.* La liberté ne peut consister qu'à faciliter l'accomplissement de ce destin.

Il existe cependant une autre conception de l'homme et de la société qui prétend que l'histoire est essentiellement ce que les hommes en font, qu'elle est le résultat de décisions bonnes ou mauvaises que les hommes et les sociétés prennent librement. Cette conception postule qu'il n'y a pas de « destin » fixé en dehors de la volonté des hommes, ni de nécessité inscrite dans l'histoire. Elle postule que les hommes sont des êtres libres et qu'ils font eux-mêmes leur destin en se fixant des objectifs et en les accomplissant. Elle ne nie pas que l'homme doive faire face à des contraintes matérielles, géographiques, économiques, psychologiques, politiques etc. Elle admet que les hommes sont conditionnés par leur histoire. Mais elle croit aussi qu'ils peuvent s'élever au-dessus de ces conditionnements, surmonter les contraintes et poser des actes libres. La force et les passions existent. Mais elles peuvent être contrôlées, limitées, dépassées par la raison. Celle-ci fait que chaque individu peut se comporter comme un être autonome, capable de liberté. Les hommes peuvent ainsi s'unir librement, c'est-à-dire dans le respect de leur diversité.

Au Québec, ces deux courants de pensée sont aujourd'hui re-

---

1. C'est sans doute chez Lionel Groulx que l'on trouve l'expression la plus claire de la pensée ultramontaine du Québec au XXe siècle. Celui-ci affirmait il y a un peu plus de vingt ans : « Je ne crois pas à tous les messianismes. Mais j'ai cru et crois encore à la mission apostolique de notre petit peuple canadien-français. Mission non fictive, ni facultative, ni rêverie d'un puéril orgueil, mais *révélée par l'histoire* et issue des plus hautes exigences de la foi... » (cité dans *Le Devoir* du 30 avril 1957). Dans un manuscrit daté de 1915, l'abbé Groulx soutenait que : « L'expérience a été faite, et c'est maintenant *une loi de l'histoire,* que les peuples qui veulent s'émanciper de l'Eglise se vouent à un fatal suicide . » (cité dans : J.P. Gaboury, *Le Nationalisme de Lionel Groulx*, Editions de l'Univ. d'Ottawa, 1970, p. 54) (les italiques sont de moi).

présentés par les péquistes et par les fédéralistes. Le nationalisme péquiste a pour objet de réaliser la souveraineté-association, c'est-à-dire l'indépendance nationale du Québec. Pour les péquistes, comme d'ailleurs pour tous les nationalistes, la liberté se conçoit avant tout par rapport à la nation plutôt que par rapport aux individus. La nation devient la réalité première à laquelle tout le reste doit être subordonné.[2] Il faut « libérer » la nation québécoise de toute « dépendance étrangère » parce qu'il est « normal » pour toute nation de se doter d'une Etat indépendant. La liberté, c'est d'abord et avant tout l'indépendance. Cette dernière seule peut garantir l'intégrité de la culture nationale qui procure aux individus leur identité, et à la nation son homogénéité et sa cohésion. Les libertés individuelles sont donc, dans la vision nationaliste, subordonnées à une liberté première qui est celle de la nation.

Comme tous ceux qui rejettent les explications métaphysiques de l'histoire, les fédéralistes conçoivent la liberté d'abord par rapport aux individus. La nation est une réalité importante mais elle n'est pas suprême. Elle mérite respect et affection mais elle ne mobilise pas toute la loyauté ou les sentiments de l'individu. Celui-ci peut avoir plusieurs loyautés : il est attaché à sa famille, à sa profession, à une communauté religieuse, à une école de pensée scientifique ou philosophique, à une ville, à des intérêts financiers ou matériels, etc. Il se caractérise par sa pluriappartenance à des groupes et des institutions qui forment le tissu de sa vie quotidienne. Parmi ces groupes et institutions, il y a la nation. Mais elle n'est pas la

---

2. La tendance qu'ont les intellectuels péquistes à affirmer le primat de la société sur les individus est particulièrement évidente dans les écrits du professeur Fernand Dumont, de l'Université Laval, qui fut l'un des principaux auteurs du livre blanc sur *La Politique québécoise du développement culturel.* Dans un article publié dans la revue *Relations* (avril 1979, no 447) et intitulé « De l'absence de la culture à l'absence de l'Eglise », celui-ci affirme en effet que : « Ce ne sont pas seulement la stricte division du travail ou l'économie qui tiennent les hommes ensemble. La société, en définitive, n'a pas d'autre finalité qu'elle-même. » (p. 124) C'est pourquoi le professeur Dumont n'hésite pas à considérer la « dissociation » entre vie privée et vie publique, le « pluralisme » et les « droits de l'homme » comme une « hypocrisie dont profitent d'abord les producteurs de culture et les producteurs de politique ». La société en effet ne repose pas sur un contrat social incarné par les institutions démocratiques mais sur des « croyances » entretenues par des « groupements » tels que « la famille, la nation, les Eglises » qui « en leur principe, ont ceci de singulier de ne servir à rien » puisqu'ils « représentent avant tout la société dans sa gratuité, dans sa faculté de susciter des communautés et des conflits ». (p. 124)

source exclusive de sa culture personnelle ou de son identité. L'individu se cultive en puisant à plusieurs sources. La liberté, c'est la possibilité de puiser à ces diverses sources avec le moins de contraintes possible. Elle suppose une société pluraliste.

Ainsi le fédéralisme n'exclut pas l'attachement à la nation ou à ce qu'on appelle la patrie. Le patriotisme est une valeur qu'il respecte. Les péquistes contestent cependant le fait que les fédéralistes puissent avoir un sens patriotique parce que, pour eux, l'attachement à la patrie ou à la nation, telle que, par exemple, la nation québécoise, exclut l'attachement à toute autre communauté plus large telle que, par exemple, la communauté canadienne. Les cultures nationales constituent selon eux des frontières « naturelles » qu'on ne peut transgresser sans porter atteinte à l'intégrité de ces cultures. Même la langue est menacée lorsqu'elle n'est pas protégée par un Etat indépendant : « Une solution définitive au problème de la langue exige que les Québécois se donnent les leviers politiques et économiques d'un Etat souverain. »[3]

La plupart des systèmes de pensée qui s'appuient sur une explication métaphysique de l'histoire tendent vers un certain totalitarisme. Il convient donc de se demander s'il n'en va pas ainsi pour le nationalisme péquiste. Voici comment Jean-François Revel décrit l'aspect totalitaire des philosophies de Platon et de Lénine :

> Dans les deux cas, on suppose qu'il existe un modèle dont la vérité a été une fois pour toutes démontrée. La réalité doit donc devenir la *copie* pure et simple, aussi fidèle que possible, de ce modèle. La politique consiste à amener progressivement le groupe social dans son ensemble et chaque individu en particulier à se *conformer* aussi complètement que possible, en acte et en pensée, au type pur. Dans les deux doctrines il existe, de ce fait, une minorité dont la pensée va guider le peuple, car seule elle accède à la pleine intelligence théorique du modèle : le collège des rois-philosophes chez Platon, le Bureau politique et le Comité central dans les partis communistes.[4]

Le nationalisme péquiste a un modèle dans l'ordre politique : c'est celui de l'Etat-nation. Il a aussi un modèle culturel : c'est celui que l'on trouve dans le livre blanc sur *La politique québécoise du*

---

3. Programme officiel du Parti québécois (édition 1978), p. 43.
4. Jean-François Revel, *La Tentation totalitaire*, Paris, Robert Laffont, 1976, p. 45. (Les italiques sont de Revel.)

développement culturel. Or, dans ces deux domaines, sa politique consiste justement « à amener progressivement le groupe social dans son ensemble et chaque individu en particulier à se conformer aussi complètement que possible, en acte et en pensée, au type pur ». Dans l'ordre politique, ceux qui s'opposent à ce que le modèle de l'Etat-nation soit appliqué au Québec sont considérés comme des « vendus » ou des « collaborateurs » inconscients de la soi-disant « domination » anglophone. Dans l'ordre culturel, ceux qui ne se conforment pas au modèle culturel (c'est-à-dire tous ceux qui possèdent un « bungalow » ou un « split-level », qui aiment jouer aux quilles ou au billard, qui lisent des journaux rapportant « des potins sur la vie publique » ou qui aiment les « hot-dogs » et les « banana-split ») sont des « déracinés » dans la mesure où ils s'écartent du modèle esquissé dans le livre blanc. Quant à ce que Revel appelle la « minorité dont la pensée va guider le peuple », elle correspond à ce que le livre blanc sur la culture appelle « les élites » dont la vocation est d'éveiller « la masse de la population... (qui) subit passivement la sujétion comme une fatalité insurmontable ».[5]

Ainsi, tout comme dans la république platonicienne, dans la société léniniste, dans la civilisation fasciste ou dans le catholicisme ultramontain, les manifestations culturelles sont assujetties à une réglementation détaillée garantissant leur conformité au modèle élaboré par les chefs de l'orthodoxie, de même, dans le modèle de société élaboré par les « élites » péquistes, la culture doit faire l'objet d'un contrôle attentif. Il faut en effet « disposer des filtres... devant le flot international de la culture de masse... »[6] Ces filtres s'appliquent à la culture entendue dans son sens le plus large, c'est-à-dire non seulement aux arts, mais également à ce que le livre blanc appelle les « genres de vie » (l'habitat, la santé, le loisir, le travail, les communications, la liberté et l'information). Cet absolutisme culturel de la pensée péquiste se retrouve d'ailleurs non seulement dans le livre blanc sur la culture mais dans presque toute la littérature péquiste. C'est ainsi que le programme officiel du PQ (édition 1978) affirme que « seul le gouvernement du Québec est en mesure de défendre et de promouvoir la culture de la majorité

---

5. Québec, *La Politique québécoise du développement culturel,* p. 54.
6. *Ibid.,* p. 13.

des citoyens ».[7] L'édition de 1970 du programme officiel affirmait, à propos des moyens de communication de masse, qui sont un des principaux agents de la culture moderne, que « l'Etat ne saurait permettre que ces moyens viennent nuire à l'effort de redressement national ».[8] Dans un autre document publié en 1972, les penseurs du PQ expliquent que tant que les Québécois n'auront pas proclamé l'indépendance, il leur manquera un certain « supplément d'âme » que les citoyens des nouveaux pays africains ou asiatiques auraient acquis depuis qu'ils ne sont plus gouvernés par des Blancs :

> L'homme d'ici ne s'y reconnaîtra plus. Son appartenance à un peuple entièrement responsable de lui-même, ne peut qu'engendrer un sens inédit de la responsabilité et développer comme jamais auparavant l'esprit d'initiative... Nous parlons tout simplement de ce « supplément d'âme » qu'apporte infailliblement à ses membres la promotion suprême d'une collectivité nationale. Tous les peuples qui accèdent à leur souveraineté en font l'expérience, même ceux dont l'impréparation et le sous-développement empêchent ce bond normal de se maintenir au delà de l'euphorie initiale et de porter des fruits durables.[9]

Ces exemples suffisent à démontrer que la pensée péquiste comporte certains éléments d'une pensée totalitaire. Elle n'est pas *parfaitement* totalitaire parce qu'elle ne propose pas un contrôle total de la vie économique et sociale. Mais il reste qu'elle propose un modèle politique et un modèle culturel qui sont présentés comme essentiels à la survie de la société québécoise. Elle présente ces modèles comme s'il s'agissait d'une question de vie ou de mort. A ce titre, elle tend vers une conception totalitaire de la société, c'est-à-dire une conception qui n'admet pas le pluralisme. C'est ce qui explique sa ressemblance avec le nationalisme ultramontain qui prétendait (a) qu'on ne pouvait être un authentique Canadien français à moins d'être un fervent catholique; (b) que le catholicisme impliquait une conception de l'ordre social nécessairement différente de « la » conception protestante; et (c) qu'en dehors du catholicisme, la société canadienne-française ne pourrait pas survivre.

---

7. Programme officiel du Parti québécois (édition 1978), p. 7.
8. *La Solution* (programme du PQ), 1970, p. 90.
9. *Quand nous serons vraiment chez nous*, p. 21.

Mais, demandera-t-on, n'est-ce pas envenimer inutilement le débat sur l'avenir du Québec que d'accuser les péquistes d'avoir une pensée qui tend à être totalitaire? Cela ne risque-t-il pas de créer encore plus de confusion dans un débat qui est déjà passablement confus? Ne vaudrait-il pas mieux s'appliquer seulement à montrer les avantages du fédéralisme et la souplesse du régime fédéral canadien? A cette stratégie purement défensive, on peut opposer deux objections. La première, c'est que le nationalisme péquiste est une Foi et on ne pourra la vaincre que si on lui oppose une autre Foi. Opposer à la Foi des péquistes une simple solution technique, se contenter de souligner les avantages économiques du fédéralisme quand eux proposent un « pays que nous aurons à bâtir ensemble », c'est se vouer d'avance à l'échec le plus cuisant.

Opposer une autre Foi à la Foi des péquistes, cela ne veut pas dire cependant qu'il faille élaborer une autre métaphysique de l'histoire qui ferait contrepoids à la métaphysique nationaliste. Cela veut dire seulement qu'il faut dénoncer ce qui, dans cette métaphysique nationaliste, s'oppose à une conception pluraliste de la société. Une telle démarche n'exclut évidemment pas des efforts pour montrer comment le fédéralisme, loin de brimer la liberté des petites communautés nationales comme la communauté québécoise francophone, leur permet au contraire de se développer en participant plus activement aux grands courants qui agitent le monde moderne. Au fond, la dénonciation de ce qui, dans la pensée péquiste, est totalitaire, appelle une mise en valeur du pluralisme, lequel est un prérequis au bon fonctionnement du fédéralisme. Refus de tout monisme totalitaire et valorisation du fédéralisme sont donc deux démarches complémentaires.

Une deuxième raison qui doit pousser à dénoncer l'aspect totalitaire de la pensée péquiste, c'est qu'il est une menace à la démocratie. Tout régime démocratique repose sur la possibilité qu'ont les citoyens de remplacer les dirigeants de l'Etat. En réalité, un tel régime présuppose qu'il est bon que, dans l'exercice du pouvoir, un parti succède à un autre à des intervalles plus ou moins réguliers, et que le parti au pouvoir soit constamment surveillé et critiqué par les partis d'opposition. Tout cela est jugé bon parce qu'on prend pour acquis que la politique est essentiellement affaire d'*opinion*, que c'est l'opinion majoritaire qui doit gouverner et que celle-ci est appelée à changer de temps à autre. Or, le dénominateur commun de toutes les pensées totalitaires, c'est justement de prétendre à une

Vérité absolue ou « scientifique ». Tout parti politique qui croit détenir une telle Vérité ne peut qu'être méfiant à l'égard de la démocratie parlementaire. Comment en effet peut-on accepter de se soumettre à la règle d'une majorité incertaine et changeante quand on croit être en possession tranquille de la Vérité. Les leaders péquistes n'ont d'ailleurs jamais mis beaucoup d'effort à cacher leur méfiance à l'endroit des institutions démocratiques canadiennes et québécoises. Le livre blanc sur la politique du développement culturel offre un témoignage éloquent de cette méfiance. Il va jusqu'à affirmer qu'il convient de « s'interroger sur la vitalité de la démocratie elle-même » puisque « on ne protège pas dans les lois une liberté déjà morte dans la vie ».[10] Or, un des postulats de toutes les pensées totalitaires, celles de Lénine et de Platon comme celles de Mussolini, de Maurras ou des clercs ultramontains, c'est précisément que la démocratie est malade ou incapable d'agir, qu'on ne doit surtout pas, en politique, s'en remettre à la volonté populaire parce que celle-ci est le reflet d'une « masse » informe et ignorante. Un autre document péquiste note que la notion de démocratie est « faussement familière car on n'a jamais réalisé convenablement les promesses même les plus superficielles de cette façon de vivre en société... ».[11] Ce jugement implique que l'expérience québécoise et canadienne de la démocratie depuis le milieu du siècle dernier serait à peu près nulle et que même l'arrivée au pouvoir du PQ en novembre 1976 n'aurait pas de véritable signification au point de vue démocratique. Enfin, on est en droit de s'interroger sur le sens démocratique d'un parti dont les leaders contestent presque quotidiennement la bonne foi ou l'intelligence de tous ceux qui croient à la valeur du fédéralisme. Dire en effet que tous ceux qui veulent maintenir le lien fédéral unissant le Québec au reste du Canada empêchent le peuple québécois d'accéder à sa « pleine maturité », c'est nier l'utilité même de la lutte entre les partis politiques. Puisque l'accession à l'indépendance est une « nécessité inscrite dans l'histoire », ne vaudrait-il pas mieux imposer sa Vérité plutôt que de se soumettre à des débats somme toute inutiles?

D'aucuns objecteront que l'accusation de totalitarisme est injuste parce qu'elle ignore plusieurs éléments de cette pensée qui sont autant d'hommages rendus à la démocratie. On rappellera, par

---

10. Québec, *La Politique québécoise du développement culturel*, p. 256.
11. *Quand nous serons vraiment chez nous*, p. 37.

exemple, que le référendum proposé par le PQ pour engager le processus d'accession à l'indépendance est le mécanisme le plus démocratique qui se puisse concevoir pour une telle opération.[12] En apparence, cette objection paraît avoir une certaine force. Mais plus on l'examine, plus elle paraît fausse. En effet, ce que la loi sur les référendums offre aux Québécois, c'est un moyen de s'exprimer sur leur avenir politique d'une façon démocratique. Or, la possibilité d'adopter une telle loi a toujours existé. Si aucune loi sur les référendums n'a été proposée pour adoption à l'Assemblée nationale dans le passé, c'est que les gouvernements qui ont précédé le gouvernement péquiste n'ont pas jugé opportun d'en adopter une. Ici, les péquistes diront que si ces gouvernements antérieurs n'ont pas jugé opportun de prévoir un mécanisme d'accession à l'indépendance, c'est que, n'ayant pas atteint un degré suffisant de « conscience nationale » ou de « maturité », ils étaient incapables d'en percevoir la nécessité. Cela implique que si, à l'occasion du prochain référendum, une majorité de Québécois expriment une préférence pour le maintien du Québec dans la fédération canadienne, il faudrait conclure que les Québécois ne constituent pas encore un « peuple vraiment adulte ». Une telle interprétation permet évidemment au PQ de justifier plusieurs référendums dans l'avenir. Si en effet on postule a priori qu'un référendum d'où se dégagerait une majorité opposée à l'indépendance signifie que le peuple québécois manque de « maturité », alors on se sentira justifié de tenir des référendums tant et aussi longtemps que le résultat ne sera pas celui qu'on veut. Ce qui veut dire que les péquistes ne respecteront le résultat du référendum que si ce résultat leur convient.

Pour que les péquistes fassent preuve de sens démocratique, il faudrait qu'ils s'engagent à l'avance à se tenir lié par le résultat du prochain référendum, même si ce résultat contrarie leur projet d'indépendance. Or cet engagement, ils ne veulent pas le donner. C'est pourquoi l'argument selon lequel le PQ respecte la démocratie parce qu'il prévoit la tenue d'un référendum n'est pas valable. Ce n'est pas un référendum que le PQ entend tenir, c'est autant qu'il en faudra pour obtenir le verdict qui le satisfait. Une telle stratégie peut difficilement être considérée comme un modèle de démocratie.

----

12. Le programme du parti (édition 1979) affirme que « les citoyens du Québec vivant en démocratie, c'est le peuple qui détient le pouvoir de décider de son propre sort par les moyens qu'il a choisis lui-même ». (p. 7.)

ANNEXE

Propos d'André Malraux sur le Québec

(propos recueillis par Robert Guy Scully)

Le journal *Le Devoir* publiait, dans son édition du 27 novembre 1976, le texte d'une interview qu'André Malraux avait accordée à Robert Guy Scully en 1974 et dans laquelle il exprimait ses vues sur la question québécoise. Avec la permission du *Devoir*, nous reproduisons le texte de cette interview. Les lecteurs ne manqueront pas de noter que la formulation des questions posées par Scully reflète assez bien la vision péquiste de l'histoire du Québec, ce qui d'ailleurs donne plus de relief aux réponses de Malraux.

Voyez-vous un avenir pour les petits pays, dans la civilisation actuelle, ou future ? Pourront-ils avoir un destin qui leur sera propre, ou devront-ils « suivre » ?

On a cru qu'on ne pourrait jamais passer, en art, du héros au personnage. D'une certaine manière, les petits pays sont des personnages. On a cru que s'il n'y avait plus Achille il n'y aurait rien. Puis, il n'y a plus eu Achille, ...et il y a eu Balzac.

Par contre, il n'est pas certain que le temps où le héros épique (c'est-à-dire les grands pays) était seul possible, soit dépassé. Il ne faut pas que ça veuille dire que plus les pays sont petits plus ils ont de chance, ce qui serait faux.

Mais ils ont une chance ?

Ils ont une chance, oui.

Comment se présente alors la « chance » du Québec, compte tenu du choix à faire entre l'indépendance et l'intégration définitive à l'ensemble canadien ?

Un destin est-il nécessairement national ? Je n'en suis pas sûr. Les Québécois ont absolument raison de dire : « Nous ne devons pas, et nous ne pouvons pas, accepter ce qui pèserait sur nous. » Ce n'est pas tout à fait la même chose. Il n'est pas évident que la défense de ce que vous devez défendre prenne une forme nationale. Je ne veux pas dire que ça n'a pas d'importance. Je veux dire qu'une vraie volonté nationale ne prend pas forcément la forme d'une indépendance territoriale. Un exemple très simple : la volonté nationale de la France s'est appelée Jeanne d'Arc. Personne à l'époque ne pensait que la réalité nationale de la France ce serait cette petite fille. Ça devait être un mariage avec le Prince Noir, ou ça devait être une conquête étrangère par un chef de guerre ordinaire : en fait ça s'est passé tout autrement.

Autant je crois que vous ne devez à aucun prix transiger ce qui est l'essentiel pour vous, autant je crois que vous devez toujours accepter d'ouvrir l'éventail des moyens. Sans plus. Cela ne signifie pas « nous mettrons n'importe quoi », mais plutôt « nous ne sommes pas des maniaques du moyen ».

Le Québec n'est qu'un petit Etat : il est un petit Etat colonisé parlant deux des langues les plus importantes au monde. Quelle est la richesse — ou la pauvreté — des civilisations mixtes ?

Certaines des anciennes civilisations mixtes ont été considérables : au moins la civilisation irano-grecque. L'art gréco-bouddhique commence au troisième siècle avant J.-C. et finit au huitième après, au fond de l'Asie centrale. On a parlé grec au fond de l'Asie centrale au moment où on ne parlait plus grec nulle part ! C'est un phénomène important, mais qui reste tout de même mineur.

Seulement il y a un changement significatif en ce qui vous concerne : ces civilisations mixtes n'avaient pas de moyens d'information (sauf les leurs) sur les grandes civilisations auxquelles elles se référaient. Vous êtes en face de quelque chose qui est absolument sans précédent. Quelle que soit la solution nationale (à savoir : qu'il y ait ou non indépendance du Québec), vous n'en êtes pas moins à l'écoute des Etats-Unis et de l'Europe francophone, c'est-à-dire, au fond, du monde. Et personne ne peut vous en priver. Si les Grecs avaient voulu empêcher tout contact avec la civilisation gréco-bouddhique, ils auraient pu le faire, mais les Etats-Unis n'iront pas brouiller leur radio vers le Canada. Ce phénomène spirituel est, à mon avis, d'une extrême importance.

Mais les petits pays ne sont pas seulement « à l'écoute » : ils sont les victimes de ces grandes cultures, qu'ils doivent consommer, bon gré, mal gré.

Méfiez-vous de ce vocabulaire marxiste. La création n'est pas une production : c'est le contraire. Et l'écoute n'est pas une consommation. Vous n'avez tout de même pas une culture qui existe avec rien. Appelons ça « dialogue ». Le fait que vous soyez dans cette situation — en partie négative, mais en partie privilégiée —

qui est celle d'une disponibilité totale à l'égard des formes culturelles, devrait faire réfléchir les Canadiens. Pensez un peu aux débuts des Etats-Unis. Ils sont devenus un très grand pays sans enracinement aucun, mais en profitant de leur non-enracinement. Seulement eux se sont retrouvés avec des responsabilités mondiales énormes; le problème n'est pas le même.

Supposons que demain la Suisse se trouve dans une position historique excessivement déplaisante. Le phénomène de l'esprit représenté par la Suisse serait tout de même là. Il y a une tournure d'esprit — chez Jung, par exemple, ou Rousseau — qui est spécifiquement suisse et qui est une grande réalité.

Je crois que vous devriez partir du balcon: « Nous sommes ceux qui peuvent regarder. » Le balcon franco-anglais, ce n'est pas rien. Ici, je mets à part, exprès, le problème politique: n'en parlons pas. Il y a un endroit au monde, quel que soit son statut historique, qui peut être une sorte de nouvelle Suisse. Vous partiriez du principe: « Dans deux ou trois générations, nous allons être des esprits libres. Pourquoi? Parce que nous en avons la possibilité. » Exactement le cas Jean-Jacques Rousseau.

Rendus là, cependant, il faut parler de politique: nous sommes menacés dans notre survivance et, pour nous hisser confortablement au balcon, il faudrait au moins l'échelle!

Tirez-en les conséquences politiques. Si elles sont dans l'Indépendance, dites-le. Seulement je crois que vous auriez avantage à poser vos problèmes sur le plan de l'esprit.

Vous pouvez aussi proposer autre chose. Naturellement, si ce que vous avez à nous proposer c'est la mort, nous ne sommes pas pressés! Mais si vous avez une proposition raisonnable autre que l'Indépendance, mais qui soit contrôlable (tout en tenant réellement de la liberté), faites-la. A mon avis vous serez plus solides si vous fondez votre politique sur votre culture que si vous la fondez dans l'indépendance politique.

Sauf que cette « culture », jusqu'à maintenant, n'est pas des plus glorieuses: elle a produit plusieurs imitations médiocres de ce qui s'était déjà fait à l'étranger, ou des oeuvres d'élite plutôt niaises, semblables à celles que l'on trouve dans l'Amérique latine traditionnelle, celle d'avant « Cent ans de solitude ».

Votre vrai problème ne se pose pas depuis longtemps. Qu'est-ce qu'était la Suisse avant Rousseau? Tout ça suppose évidemment un personnage, une espèce de Soljénitsyne, qui fera la catalyse.

Mais les problèmes dont nous parlons ne se posaient même pas, lorsque je suis allé au Canada pour la première fois, en 29. Il y avait une espèce d'attachement catholique, pas plus.

Poser la liberté de l'esprit comme fondamentale, en misant sur les avantages qui vous sont donnés, constitue quand même une base très forte, quelles que soient les conséquences. Votre grand texte, votre Cent ans de solitude, viendra. Vingt-cinq ans avant Rousseau, il n'y avait rien. Il ne faut pas être trop pessimiste, dans le cas du Canada. Le Canada est au fond plus ancien que les Etats-Unis. Dans une perspective logique, ça fait retardataire. Mais en réalité ce n'est pas vrai du tout. Le Canada n'est pas en retard sur les Etats-Unis, il est autre chose. Et cette autre chose va continuer sa route à elle.

Puisque votre problème n'a même pas cinquante ans, si avec une jeunesse intéressée par les problèmes canadiens, vous répondez à un Appel qui vous fera prendre conscience de la diversité de l'esprit qui vous est donnée et que personne ne peut vous retirer, en vingt ans vous l'aurez, votre Charte. Il n'est pas nécessaire qu'elle soit l'oeuvre d'un homme de génie : il est nécessaire qu'elle vienne d'un homme historique. Ce n'est pas forcément la même chose. C'est un homme qui a le génie de cristalliser en formules relativement simples ce qui fait l'accord d'un peuple. Après tout, les intellectuels qui ont posé les données essentielles de la Révolution française n'étaient pas de très grands hommes. Il y a eu d'abord de très grands idéologues — le Contrat social —, mais les bases constitutionnelles ne sont pas l'oeuvre d'un grand homme.

Je ne crois pas que vous pouvez avoir un Canada ayant pris conscience de ses problèmes comme il en prend conscience maintenant, qui passe un siècle dans l'état actuel. Ce n'est pas possible. On le sent quand on y est : on est tout à fait dans une gare. Il ne faut pas se dire que les Peaux-Rouges vont venir et qu'ils vont faire des wigwams, tout de même !

Vous êtes donc optimiste ?

Je suis optimiste sur un certain nombre de points. Premier point : je suis optimiste sur la prise de conscience canadienne, qui me paraît inévitable. Second point : à partir du moment où elle aura eu lieu, il est fatal qu'en trente, ou cinquante ans, mettons, elle trouve sa forme (que ce soit un homme de génie, une société indépendante, un grand législateur) ; à partir du moment où elle aura trouvé sa forme, je pense qu'elle trouvera alors nécessairement sa forme politique.

Encore là il faut compter avec l'impérialisme culturel des grands pays sur les petits. La « forme » québécoise ne s'épanouira peut-être pas si librement.

On ne sait jamais. Le destin joue au ping-pong, et vous ne savez jamais comment la balle vous sera renvoyée. Quand Rousseau part de Genève, il est absolument persuadé qu'il va chercher à Paris les moyens de faire une nouvelle constitution suisse. En réalité, il changeait l'Europe. Quand Chopin est parti, il croyait qu'il ferait un groupe révolutionnaire : au lieu de cela il a incarné la Pologne dans sa musique.

L'imprévu est une chose avec laquelle il faut être optimiste. Puisqu'on ne peut pas prévoir, on a toujours une tendance humaine à le concevoir négativement. Ce n'est pas du tout nécessairement vrai : il arrive que ce soit tout aussi positif. Le « contre » n'est pas valable. Il faut dire « on ne sait pas ». Le cas Rousseau est quand même assez extraordinaire.

On n'entendra jamais parler des Rousseaus qui ont échoué. Ils sont sans doute plus nombreux.

Oui. Mais où que ce soit, il n'y a pas que des Rousseaus inconnus. Je vous disais que les petits pays, avec les moyens de diffusion des grands, ne sont plus des petits pays. Si vous dites « ces moyens, nous en disposons », il est inconcevable qu'il n'en sorte rien.

Un Canadien français d'il y a cinquante ans n'a rien à voir avec le Canadien français d'aujourd'hui. Or, dès que vous avez un pays qui a une réalité comme le Canada (langue, conception d'elle-même) — non pas une Estonie, qui n'est pas une vraie société, mais une Suisse, une Belgique — vous arrivez à quelque chose. On a tellement dit que les Pays-Bas étaient absolument fichus. Moralité : dix ans après il y a eu Rembrandt. On disait que leur littérature était perdue. C'est la peinture qui a aidé. Mais après, très vite la littérature a répondu : Spinoza est presque contemporain. La seule question des Canadiens français devrait être : « Peut-on nous enfermer ? » Et si vous répondez : « Nous sommes sûrs qu'on ne peut pas », vous pouvez vous dire : « Les cartes sont bonnes. »

Mais surtout, essayez à tout prix de poser le problème culturel comme indépendant au départ du problème politique. Sinon, vous aurez le risque absolument terrible que les organismes politiques deviennent plus ou moins déterminants dans les problèmes culturels, et vous savez que cela signifie le désastre.

Les gouvernements n'ont rien à faire dans les problèmes de culture et de création. Ce n'est pas leur univers. Ils ont des obstacles qui ne sont pas les nôtres et par conséquent ils préfèrent les leurs.

Le « balcon franco-anglais » dont vous parliez suppose-t-il un resserrement des liens avec la France (pour faire le contrepoids de l'influence américaine), ou encore une union plus poussée avec l'Amérique, un « mariage » comme celui de Kérouac ou des Acadiens de Louisiane ?

L'imprévu est une chose avec laquelle il faut être optimiste. Puisqu'on ne peut pas prévoir, on a toujours une tendance humaine à le concevoir négativement. Ce n'est pas du tout nécessairement vrai: il arrive que ce soit tout aussi positif. Le « contre » n'est pas valable. Il faut dire « on ne sait pas ». Le cas Rousseau est quand même assez extraordinaire.

On n'entendra jamais parler des Rousseaus qui ont échoué. Ils sont sans doute plus nombreux.

Oui. Mais où que ce soit, il n'y a pas que des Rousseaus inconnus. Je vous disais que les petits pays, avec les moyens de diffusion des grands, ne sont plus des petits pays. Si vous dites « ces moyens, nous en disposons », il est inconcevable qu'il n'en sorte rien.

Un Canadien français d'il y a cinquante ans n'a rien à voir avec le Canadien français d'aujourd'hui. Or, dès que vous avez un pays qui a une réalité comme le Canada (langue, conception d'elle-même) — non pas une Estonie, qui n'est pas une vraie société, mais une Suisse, une Belgique — vous arrivez à quelque chose. On a tellement dit que les Pays-Bas étaient absolument fichus. Moralité: dix ans après il y a eu Rembrandt. On disait que leur littérature était perdue. C'est la peinture qui a aidé. Mais après, très vite la littérature a répondu: Spinoza est presque contemporain. La seule question des Canadiens français devrait être: « Peut-on nous enfermer? » Et si vous répondez: « Nous sommes sûrs qu'on ne peut pas », vous pouvez vous dire: « Les cartes sont bonnes. »

Mais surtout, essayez à tout prix de poser le problème culturel comme indépendant au départ du problème politique. Sinon, vous aurez le risque absolument terrible que les organismes politiques deviennent plus ou moins déterminants dans les problèmes culturels, et vous savez que cela signifie le désastre.

Les gouvernements n'ont rien à faire dans les problèmes de

culture et de création. Ce n'est pas leur univers. Ils ont des obstacles qui ne sont pas les nôtres et par conséquent ils préfèrent les leurs.

Le « balcon franco-anglais » dont vous parliez suppose-t-il un resserrement des liens avec la France (pour faire le contrepoids de l'influence américaine), ou encore une union plus poussée avec l'Amérique, un « mariage » comme celui de Kérouac ou des Acadiens de Louisiane ?

Je ne souhaite pas que les Québécois rêvent de quoi que ce soit qui les rattache à la France, parce que ce ne serait pas vrai. Autant l'indépendance spirituelle du Québec, liée si l'on veut à ce que la France peut donner de mieux, ce qu'elle a de plus haut, me paraît une chose tout à fait positive, autant l'idée de rattachement, quelque forme qu'elle ait — politique ou autre — me semble chimérique. D'abord parce que les Québécois ne sont pas des Français, et de plus parce qu'ils n'en ont pas envie. (A moins que ça n'ait changé depuis ma dernière visite. Drapeau m'avait expliqué des trucs sur sa ville, il m'avait dit : « Nous sommes très francophiles, mais nous ne nous prenons pas pour des Bretons. »)

Quant au mariage, je n'y crois pas du tout. C'est du folklore. Avec de l'étain et du cuivre, vous pouvez faire du bronze. Mais dans le véritable mariage, il faut que les deux éléments perdent leur nature. L'alliance n'est pas un mariage. Puis il y a quand même une très grande différence entre le destin du Canada et un cas comme celui de Kérouac ou des Acadiens : vous avez derrière vous une certaine réalité humaine. Je ne sais pas quelle forme elle peut prendre. L'Histoire nous le dira. Seulement, elle est. Entre ce que j'appelle du folklore — Kérouac, ou les braves Acadiens — et les villes de Québec ou de Montréal, il y a cette différence.

Cela dit, dans le domaine du pronostic (et non plus dans le raisonnement), je crois que le premier grand Canadien français sera un émigré.

L'auteur de notre plus grand livre était un émigré de France : Louis Hémon.

Non, je veux dire un émigré de chez vous ailleurs. Joyce, qui a représenté la réalité irlandaise de façon magistrale, a commencé à la représenter quand il a quitté l'Irlande. Dans ces situations qui sont les vôtres, il y a quelque chose d'étrange : vous êtes à l'écoute du monde, et vous devez répondre. Et vous ne répondez généralement que par le fait que celui qui va répondre s'en va. Car attention : c'est justement le cas du prophète. On ne sait pas du tout pourquoi. Le prophète se retire au désert. Mais s'il ne va pas au désert, il n'y a pas de prophète. Il y a un point de suspension, mais nous voyons quand même assez ça, d'ici. Les Canadiens français qui sont venus ici sont rentrés chez vous, pour la plupart; ils y ont fait leur propre carrière. Mais on sent très bien que pour exprimer ce qu'ils avaient à exprimer de canadien, c'était infiniment mieux qu'ils ne soient pas au Canada, je pense surtout à vos peintres.

BIBLIOGRAPHIE

PREMIÈRE PARTIE

LIVRES

BRADY, Alexander, *Democracy in the Dominions*, Second Edition, University of Toronto Press, Toronto, 1952.

BRYDEN, Kenneth, *Old Age Pensions and Policy-Making in Canada*, McGill-Queen's University Press, Montreal and London, 1974.

CARTER, George E., *Canadian Conditional Grants since World War II*, Canadian Tax Foundation, Toronto, 1971.

CLARK, Douglas H., *Fiscal Need and Revenue Equalization Grants*, Canadian Tax Foundation, Toronto, 1969.

DAFFLON, Bernard, *Federal Finance in Theory and Practice with Special Reference to Switzerland*, Paul Haupt, Bern, 1979.

FRIEDRICH, Carl J., *Tendances du fédéralisme en théorie et en pratique*, Institut belge de Science politique, Bruxelles, 1971.

JOHNSON, Daniel, *Egalité ou Indépendance*, Editions Renaissance, 1965.

LAMONTAGNE, Maurice, *Le Fédéralisme canadien: évolution et problèmes*, Les Presses Universitaires Laval, Québec, 1954.

LOWER, A.R.M., and SCOTT, F.R., *Evolving Canadian Federalism*, Duke University Press, Durham N.C., 1958.

LYNN, James H., *Comparing Provincial Revenue Yields, The Tax Indicator Approach*, Canadian Tax Foundation, Toronto, 1968.

MAXWELL, James A., *Federal Subsidies to the Provincial Governments in Canada*, Harvard University Press, Cambridge, 1937.

MEEKISON, Peter J., *Canadian Federalism: Myth or Reality*, Methuen, Toronto, 1968.

MOORE, Milton A., PERRY, J. Harvey and BEACH, Donald I. *The Financing of Canadian Federation*, Canadian Tax Foundation, Toronto, 1966.

SIMEON, Richard, *Federal-Provincial Diplomacy: the Making of Recent Policy in Canada*, University of Toronto Press, 1972.

VEILLEUX, Gérard, *Les Relations intergouvernementales au Canada, 1867-1967*, Presses de l'Université du Québec, 1971.

WHEARE, Kenneth C., *Federal Government*, 4th edition, Oxford University Press, London, 1963.

ARTICLES DE REVUES

BASTIEN, Richard, «La structure fiscale du fédéralisme canadien: 1945-1973», *Administration publique du Canada*, Volume 17, no 1 (printemps 1974).

BRADY, Alexander, «Report of the Royal Commission on Dominion-Provincial Relations», *Canadian Historical Review*, Volume XXI, Number 3, September 1940.

DEHEM, Roger and WOLFE, J.N., «The Principles of Federal Finance and the Canadian Case», *Canadian Journal of Economics and Political Science*, February 1955, Volume XXI, Number 1.

ELAZAR, Daniel, «Les objectifs du fédéralisme», *L'Europe en formation*, janvier-mars 1976.

PIGEON, L.P., «The Meaning of Provincial Autonomy», *Canadian Bar Review*, December 1951, Volume XXIX, Number 10.

SMILEY, Donald J., «The Rowell-Sirois Report, Provincial Autonomy and Post-War Canadian Federalism», *Canadian Journal of Economics and Political Science*, February 1962, Volume XXVII, Number 1.

DOCUMENTS PUBLICS

Advisory Commission on Intergovernmental Relations, *In Search of Balance — Canada's Intergovernmental Experience*, Study M-68, U.S. Government Printing Office, Washington D.C., 1971.

CANADA. *Advisory Committee on Reconstruction* (Report), Ottawa, September 24, 1943.

CANADA. *Les Subventions fédérales-provinciales et le pouvoir de dépenser du Parlement canadien* (Document de travail sur la constitution). Ottawa, 1969.

CANADA. *Programmes et activités fédéraux-provinciaux: répertoire* (publié par le Bureau des relations fédérales-provinciales), Ottawa, décembre 1977.

CANADA. *Document de travail sur la sécurité sociale au Canada* (ministre de la Santé nationale et du Bien-être social), avril 1973, Ottawa.

CANADA. *Rapport de la Commission royale d'enquête sur les relations entre le Dominion et les provinces*, Volumes I et II, Imprimeur du Roi, Ottawa, 1939.

CANADA. *Comité fédéral-provincial du régime fiscal*, 14 et 15 décembre 1966, Imprimeur de la Reine, Ottawa, 1966.

CANADA. *Compte rendu des délibérations de la 5e réunion des ministres des finances et des trésoriers provinciaux*, tenue à Ottawa les 4 et 5 novembre 1968 (document miméographié).

Commission of the European Communities, *Report of the Study Group on the Role of Public Finance in European Integration*, Volume I and II, Brussels, April 1977.

LYNN, James H., *Federal-Provincial Fiscal Relations*, Studies of the Royal Commission on Taxation, No. 23, Queen's Printer, Ottawa, 1967.

MACINTOSH, W.A., *The Economic Background of Dominion-Provincial Relations*, Appendix III of the Royal Commission Report on Dominion-Provincial Relations, McClelland and Stewart Ltd., Toronto, 1964.

ONTARIO, *Budget of 1977* (presented by the Honourable Darcy McKeough).

QUEBEC, *Rapport de la commission royale d'enquête sur les problèmes constitutionnels*, volumes I à V, Québec, 1956.

DEUXIÈME PARTIE

LIVRES

APTER, David E.A., *The Politics of Modernization*, Univ. of Chicago Press, Chicago, 1965.

ARMAND, Louis, et DRANCOURT, Michel, *Le Pari européen*, Fayard, Paris, 1968.

BLACK, C.E., *The Dynamics of Modernization*, New York, Harper Torchbooks, 1967.

CHARBONNEAU, J.P., et PAQUETTE, G., *L'Option*, Les Editions de l'Homme, Montréal, 1977.

DELMAS, Claude, *Le fédéralisme et l'Europe*, Ed. UGA, Bruxelles, 1969.

DE TOCQUEVILLE, Alexis, *De la démocratie en Amérique*, Union Générale d'Editions (collection 10/18), Paris, 1963.

DEUTISCH, K., *Nationalism and Social Communications: an Inquiry into the Foundation of Nationality*, MIT Press, Cambridge, 1956.

DEUTSCH, K., *Nationalism and Its Alternatives*, New York, Knoff, 1969.

En collaboration, *La Grève de l'amiante*, Editions du jour, Montréal, 1970.

En collaboration, *Le Fédéralisme*, Presses Univ. de France, Paris, 1956.

En collaboration, *Notre question nationale*, Editions Action nationale, Montréal, 1945.

ELLIOTT TRUDEAU, Pierre, *Le Fédéralisme et la société canadienne-française*, HMH, Montréal, 1967.

ENLOE, C.H., *Ethnic Conflict and Political Development*, Little and Brown, Boston, 1972.

FAUCHER, Albert, *Histoire économique et unité canadienne*, Fides, Monréal, 1970.

GABOURY, Jean-Pierre, *Le Nationalisme de Lionel Groulx*, Editions de l'Univ. d'Ottawa, Ottawa 1970.

GALARNEAU, Claude, *Les Collèges classiques au Canada français*, Fides, Montréal, 1978.

GLAZER, N., et MOYNIHAN, D.P. eds., *Ethnicity: Theory and Experience*, Harvard Univ. Press, Cambridge Mass., 1975.

HUGHES. Everett C., *French Canada in Transition*, Univ. of Chicago Press, 1943.

KEDOURIE, Elie, *Nationalism*, Hutchison Univ. Press, London, 1966.

LALANDE. Gilles, *Pourquoi le fédéralisme*, HMH, Montréal, 1972.

MILTON. E.J. ed., *Ethnic Conflict in the Western World*, Cornell Univ. Press., 1977.

MINVILLE. Esdras, *La Législation ouvrière et le Régime social dans la province de Québec*, étude pour la Commission Rowell-Sirois, Ottawa, 1939.

MONET. Jacques, *The Last Canon Shot*, Toronto Univ. Press, Toronto, 1969.

MURRAY. Vera, *Le Parti québécois: de la fondation à la prise du pouvoir*, HMH, Montréal, 1976.

NOVAK. Michael, *The Rise of the Unmeltable Ethnics: Politics and Culture in the Seventies*, MacMillan Co., New York, 1972.

Parti québécois, *Ce pays qu'on peut bâtir*, Les Editions du Parti québécois, Montréal, 1968.

Parti québécois, *Le Programme officiel*, édition 1978, Les Editions du Parti québécois, 1978.

Parti québécois, *Quand nous serons vraiment chez nous*, Les Editions du Parti québécois, Montréal, 1972.

RENAN. Ernest, *Discours et Conférences*, Paris, Calmann-Lévy, 1922.

REVEL. Jean-François, *La Tentation totalitaire*, Robert Laffont, Paris, 1976.

RIKER. W.H., *Federalism: Origin, Operation and Significance*, Little Brown and Co., Boston, 1964.

SERVAN-SCHREIBER. Jean-Jacques, *Le Défi américain*, Paris, Fayard, 1967.

SIEGFRIED. André, *Aspects du XXᵉ siècle*, Librairie Hachette, Paris, 1955.

TODD. Emmanuel, *Le Fou et le Prolétaire*, Robert Laffont, Paris, 1979.

WADE. Mason, *The French Canadians 1760-1967*, Volumes 1 et 2, MacMillan Co., Toronto, 1968.

WALLACE Gagné ed., *Nationalism, Technology and de Future of Canada*, The MacMillan Co. of Canada, Toronto, 1976.

ARTICLES DE REVUES

SPROULE-JONES. Mark, « An Analysis of Canadian Federalism », dans: PUBLIUS, *The Journal of Federalism*, The Center for the Study of Federalism, Temple University, Philadelphia, Fall 1974.

DOCUMENTS PUBLICS

QUÉBEC. *La Politique québécoise de la langue française* (présenté à l'Assemblée nationale et au peuple du Québec par Camille Laurin, ministre d'Etat au développement culturel), 1977.

QUÉBEC. *Rapport de la commission d'enquête sur la situation de la langue française et sur les droits linguistiques au Québec,* Volumes 1 et 11, Éditeur officiel, Québec, 1972.

QUÉBEC. *La Politique québécoise du développement culturel,* Volumes 1 et 2 (présenté par le ministre d'Etat au Développement culturel), Editeur officiel, Québec, 1978.

La composition de ce volume
a été réalisée par
les Ateliers de La Presse, Ltée

Achevé d'imprimer sur les presses
de l'Imprimerie Laflamme Ltée
Imprimé au Québec